LA COLOMBE ASSASSINÉE

DU MÊME AUTEUR

PHYSIOLOGIE ET BIOLOGIE DU SYSTÈME NERVEUX VÉGÉTATIF AU SERVICE DE LA CHIRURGIE. G. Doin & Cie, 1950.

L'ANESTHÉSIE FACILITÉE PAR LES SYNERGIES MÉDICAMENTEUSES. Masson & Cie, 1951.

RÉACTION ORGANIQUE A L'AGRESSION ET CHOC. Masson & Cie, 1952, 2e éd. 1954.

RÉSISTANCE ET SOUMISSION EN PHYSIOLOGIE. L'HIBERNATION ARTIFICIELLE. coll. « Évolution des sciences ». Masson & Cie, 1954.

PRATIQUE DE L'HIBERNOTHÉRAPIE EN CHIRURGIE ET EN MÉDECINE. En collaboration avec P. Huguenard. Masson & Cie, 1954.

EXCITABILITÉ NEURO-MUSCULAIRE EN ÉQUILIBRE IONIQUE. En collaboration avec G. Laborit. Masson, 1955.

LE DELIRIUM TREMENS. En collaboration avec R. Coirault. Masson & Cie, 1956.

BASES PHYSIO-BIOLOGIQUES ET PRINCIPES GÉNÉRAUX DE RÉANIMATION. Masson & Cie, 1958.

LES DESTINS DE LA VIE ET DE L'HOMME. CONTROVERSES PAR LETTRES SUR DES THÈMES BIOLOGIQUES. En collaboration avec P. Morand. Masson & Cie, 1959.

PHYSIOLOGIE HUMAINE, CELLULAIRE ET ORGANIQUE. Masson & Cie, 1961.

DU SOLEIL A L'HOMME. Masson & Cie, 1963.

LES RÉGULATIONS MÉTABOLIQUES. ASPECTS THÉORIQUE, EXPÉRIMENTAL, PHARMACOLOGIQUE ET THÉRAPEUTIQUE. Masson & Cie, 1965.

BIOLOGIE ET STRUCTURE, Coll. « Idées », Gallimard éd, 1968.

L'HOMME IMAGINANT. ESSAI DE BIOLOGIE POLITIQUE, Union générale d'éditions. Coll. 10-18, 1970.

NEUROPHYSIOLOGIE. ASPECTS MÉTABOLIQUES ET PHARMACOLOGIQUES. Masson & Cie, 1969.

LES COMPORTEMENTS, BIOLOGIE, PHYSIOLOGIE, PHARMACOLOGIE. Masson & Cie, 1973.

SOCIÉTÉ INFORMATIONNELLE. IDÉES POUR L'AUTOGESTION. Coll. « Objectifs ». Editions du Cerf, 1973.

L'AGRESSIVITÉ DÉTOURNÉE. INTRODUCTION A UNE BIOLOGIE DU COMPORTEMENT SOCIAL. Union générale d'éditions. Coll. 10-18, 1970.

ÉLOGE DE LA FUITE. R. Laffont, 1976.

L'HOMME ET LA VILLE. Flammarion, 1972.

LA NOUVELLE GRILLE. Coll. « Libertés ». R. Laffont, 1974.

DISCOURS SANS MÉTHODE. En collaboration avec F. Jeanson. Stock, 1978.

L'INHIBITION DE L'ACTION. BIOLOGIE, PHYSIOLOGIE, PSYCHOLOGIE, SOCIOLOGIE. Masson & Cie, et Presses universitaires de Montréal, 1979.

COPERNIC N'Y A PAS CHANGÉ GRAND CHOSE. R. Laffont, 1980. Editeur de la revue chez S.P.E.I. et Masson & Cie. *Revue internationale de physio-biologie et de pharmacologie appliquées aux effets des agressions* (depuis 1959).

En collaboration avec Fabrice Rouleau : L'ALCHIMIE DE LA DÉCOUVERTE. Grasset, 1982.

HENRI LABORIT

LA COLOMBE ASSASSINÉE

BERNARD GRASSET
PARIS

PRÉFACE

Ceux qui ont lu mes précédents ouvrages trouveront sans doute que je me répète, exprimant dans celui-ci de nombreuses notions déjà longuement développées dans d'autres. Mais je veux dire pour ma défense que lorsqu'on aborde un sujet en cherchant ses racines non plus seulement au niveau d'organisation particulier où il se situe apparemment et dans le cadre d'une discipline spécialisée, mais au contraire au niveau des bases biochimiques, neurophysiologiques et comportementales, on constate que celles-ci restent les mêmes, comme un organisme est toujours fait d'atomes et de molécules. Certains diront avec une logique apparente qu'il n'est pas nécessaire de faire de la chimie organique pour aborder la linguistique. Nous allons voir que si l'on veut percevoir un phénomène à un seul niveau, surtout lorsque celui-ci est déjà fort complexe, en particulier celui des rapports humains, les plus grossières erreurs d'évaluation et d'interprétation de ce phénomène sont possibles. La vision interdisciplinaire est en conséquence indispensable. Mais alors tous les niveaux d'organisation sous-jacents à celui qui fait l'objet du discours restent les mêmes. La complexité croît avec l'augmentation du nombre des niveaux d'organisation[1].

Il faut donc pour les lecteurs non avertis reprendre inlassablement les descriptions fondamentales qui acquièrent une nouvelle saveur et ne commencent à être exploitées différemment qu'au moment où l'on atteint le niveau de complexité des rapports humains en situation sociale.

Enfin, je n'ai pas la prétention de croire que l'éventuel lecteur d'aujourd'hui a déjà lu mes ouvrages plus anciens. Avec les mêmes couleurs dont je suis loin d'avoir vidé les tubes, je vais donc tenter de peindre un nouveau tableau.

NOTE : Le lecteur ayant déjà lu certains de mes précédents ouvrages et qui pense avoir une connaissance suffisante de la biologie des comportements pourra commencer directement la lecture de celui-ci à la page 91.

1. H. LABORIT (1970) : *l'Homme imaginant,* coll. 10/18, Union générale d'éditions.

INTRODUCTION

intitulé l'*Agressivité détournée* dans lequel nous restions encore tout imprégné par l'idée précédente, notre expérimentation de nous ayant pas encore conduit à la réformer. Voilà plus de dix ans maintenant que ce livre est sorti des presses de l'Union générale d'éditions, douze ans environ qu'il fut rédigé. Je n'aurais pas grand-chose aujourd'hui à lui retrancher, mais j'aurais beaucoup à y ajouter. En douze ans, les disciplines biologiques qui concourent à la construction progressive de la biologie des comportements ont apporté, à celui qui se livre à une recherche interdisciplinaire, de nombreuses connaissances nouvelles. L'expérimentation de notre groupe a elle-même apporté des faits et

En 1965, dans un article de *la Presse médicale,* dont le titre un peu provocant était « L'automobiliste du Néanderthal[1] », nous avions opposé le fonctionnement du paléocéphale à celui du néocéphale et nous proposions l'hypothèse que, chez l'homme, l'existence de ce paléocéphale était à l'origine de ses comportements de violence, lorsqu'il n'était plus contrôlé par le fonctionnement du néocéphale proprement humain. C'est cette idée générale qu'en 1968 Koestler a reprise dans son livre *le Cheval dans la locomotive.* Depuis, nous avons pris connaissance des travaux de Mac Lean, qui, à partir de l'anatomie comparée, a décrit non plus deux mais trois cerveaux superposés dans le cerveau humain, dont le fonctionnement débouche sur un comportement qui conserve les caractéristiques de l'animalité tout en y ajoutant quelque chose de propre à l'homme. Le système nerveux est l'instrument qui permet à un individu d'entrer en contact avec le milieu qui l'entoure, de répondre aux stimuli qui en proviennent et, surtout, comme nous le verrons, de maintenir la structure de l'organisme dans lequel ce système nerveux est inclus. En 1970, nous avons publié dans la collection 10/18 un volume

1. H. LABORIT : « A propos de l'automobiliste du Néanderthal », *la Presse médicale,* 1965, *73,* 6, pp. 927-929.

intitulé *l'Agressivité détournée*[1] dans lequel nous restions
encore fort imprégné par l'idée précédente, notre expérimentation ne nous ayant pas encore conduit à la réformer.

Voilà plus de dix ans maintenant que ce livre est sorti des
presses de l'Union générale d'éditions, douze ans environ
qu'il fut rédigé. Je n'aurais pas grand-chose aujourd'hui à
lui retrancher, mais j'aurais beaucoup à y ajouter. En
douze ans, les disciplines biologiques qui concourent à la
construction progressive de la biologie des comportements
ont apporté, à celui qui se livre à une recherche interdisciplinaire, de nombreuses connaissances nouvelles. L'expérimentation de notre groupe a elle-même apporté des faits et
des interprétations que nous ignorions il y a une décennie.
Nous les avons rassemblés depuis, en les fixant dans des
livres qui ont jalonné notre démarche, pas à pas, comme
nous l'avons fait sur le plan purement scientifique, depuis
plus de trente ans, dans d'autres ouvrages.

Quelles sont les idées susceptibles de transformer partiel-
lement la teneur de celui-ci ?

La première est l'importance grandissante que nous
accordons à la mémoire, à l'apprentissage. Il en résulte que
beaucoup de comportements dits « innés », ceux en particulier étudiés par Mac Lean[2], liés à l'activité fonctionnelle
des différents étages du cerveau, et que nous avions
tendance, avec lui, à considérer comme résultant de la
structure génétiquement acquise de celui-ci, nous paraissent aujourd'hui résulter d'un processus de mémoire, d'un
apprentissage et, en conséquence, des rapports de l'individu avec son milieu, son milieu humain au premier chef.

L'agressivité en est un exemple. Nous n'avons pas
distingué, à l'époque, l'agressivité prédatrice, interspécifi-

1. H. LABORIT : *l'Agressivité détournée*, coll. 10/18, Union générale d'éditions, 1970.
2. P. D. MAC LEAN : « Psychosomatic disease and " the visceral brain ".
Recent development bearing on the Papez theory of emotions », *Psych. Med*,
1979, *11*, pp. 338-353.

que, mais non intraspécifique, de l'agressivité défensive, en réponse à un stimulus nociceptif, et de l'agressivité compétitive intraspécifique. Celle-ci est pratiquement la seule qui persiste chez l'homme. Elle résulte de l'apprentissage de la « gratification » à la suite du contact avec un être ou un objet « gratifiant », c'est-à-dire permettant le maintien ou la restauration de la « constance des conditions de vie dans notre milieu intérieur » (Claude Bernard), de notre « homéostasie » (Cannon), autrement dit de notre « plaisir » (Freud). Pour renouveler la gratification (réenforcement des auteurs anglo-saxons), il faut que l'objet reconnu, et mémorisé comme gratifiant, reste à notre disposition. Si la même expérience des mêmes objets ou êtres a été faite par un autre qui veut aussi les conserver à sa disposition, il en résulte la notion de propriété (qui n'est pas un instinct puisqu'il faut un apprentissage) et l'apparition d'une compétition pour conserver l'usage et la jouissance de l'objet gratifiant. Le processus est à l'origine de l'agressivité compétitive et de la recherche de la dominance.

Le perdant dans la bagarre, le soumis, mettra en jeu un certain nombre de voies et d'aires cérébrales aboutissant à l'inhibition de l'action. Celle-ci est un processus adaptatif puisqu'il évite la destruction par le vainqueur. Le petit rongeur en s'immobilisant n'attirera plus l'attention du rapace et rejoindra l'abri de son terrier quand celui-ci se sera éloigné. Mais si l'inhibition persiste, le remue-ménage biologique qu'elle entraîne, résultant en particulier de la libération de corticoïdes surrénaliens (cortisol) et de médiateurs chimiques sympathiques contractant les vaisseaux (noradrénaline), va dominer toute la pathologie : blocage du système immunitaire qui ouvrira la porte aux infections et aux évolutions tumorales, destructions protéiques à l'origine des insomnies, amaigrissement, rétention d'eau et de sels, d'où hypertension artérielle et accidents cardio-vasculaires, comportements anormaux, névroses, dépressions, etc.[1].

Enfin, l'histoire existentielle de chaque individu est unique. C'est avec l'expérience inconsciente qui s'accumule dans son système nerveux depuis la naissance qu'il va négocier son environnement, se « comporter » par rapport à lui. Suivant que cette expérience a été gratifiante ou non, qu'elle aura permis ou interdit l'action, le retentissement affectif de tout sujet aux événements qui peuplent son existence sera variable, différent à l'infini, du plus grossier au plus élaboré.

En résumé, l'agressivité telle que nous la comprenons aujourd'hui, dans l'espèce humaine, ne nous paraît pas faire partie de notre « essence ». Comme l'affectivité dont elle ne représente qu'une expression particulière, elle résulte d'un apprentissage. Le nouveau-né ne nous semble pas pouvoir être agressif pas plus que sentimental. En dehors d'une réponse stéréotypée à des stimuli douloureux qui pourront secondairement, par mémorisation, constituer les éléments sur lesquels prendra naissance une affectivité capable elle-même de s'exprimer agressivement, il ne sait pas qu'il « est » dans un milieu différent de lui. Comment pourrait-il éprouver un ressentiment agressif à l'égard de ce dernier ?

Peut-être alors est-ce le titre même qu'il faudrait changer. Pourquoi « détourner » une agressivité, qui n'existe pas en dehors de l'apprentissage de la propriété ?

Enfin, une approche historique doit nous faciliter la compréhension du passage de l'agressivité de l'individu à celle des groupes sociaux entre eux, du passage de la criminalité à la guerre. Mais là encore la plus large interdisciplinarité nous sera nécessaire.

4. H. LABORIT (1979) : *l'Inhibition de l'action. Biologie, physiologie, psychologie, sociologie,* Masson et Cie, éd.

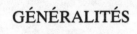

GÉNÉRALITÉS

Il y a déjà bien des années nous avons proposé de définir l'*agression* comme la quantité d'énergie cinétique capable d'accélérer la tendance à l'entropie d'un système, d'accélérer son nivellement thermodynamique, autrement dit, d'en détruire plus ou moins complètement la structure. L'homme ne peut appréhender que des ensembles et chaque ensemble est constitué d'éléments. Ces éléments ne sont pas placés au hasard à l'intérieur d'un ensemble. Ils présentent entre eux des relations qui aboutissent à une « forme » et ces relations, cette « mise en forme » constituent un nouvel ensemble : l'ensemble des relations. C'est cet ensemble de relations unissant les éléments d'un ensemble que nous appelons « structure ». L'agression va donc perturber les relations existantes entre les éléments d'un ensemble, augmenter à l'intérieur de cet ensemble le désordre, et l'on sait qu'on a voulu, à une époque, voir une relation d'égalité entre l'entropie d'un système et l'ordre qui le constitue, c'est-à-dire son « information ». Il faut cependant rappeler que, comme Wiener l'a indiqué : « L'information n'est qu'information. Elle n'est ni masse ni énergie. » Il s'ensuit que la formule de l'entropie qui est une formule exprimant une valeur thermodynamique (la transformation d'une énergie potentielle, pouvant fournir un certain travail, en énergie cinétique qui n'est plus capable d'en fournir) peut avoir un rapport avec le degré d'ordre d'un ensemble mais que cet ordre n'est pas de la même nature que les éléments énergétiques ou massiques qui constituent le système. Ainsi, la ressemblance entre la formule de l'entropie et celle de l'information, au signe inverse près (néguentropie), permet de dire seulement que l'entropie croissante s'accompagne d'un désordre croissant, c'est-à-dire d'une information décroissante.

Après le rappel de ces quelques notions, on peut dire que l'*agressivité* est alors la caractéristique d'un agent quel qu'il soit, capable d'agir, de faire quelque chose, et ce quelque chose sera d'appliquer une quantité d'énergie cinétique sur un ensemble organisé de telle façon qu'il en augmentera l'entropie et, en conséquence, le désordre, en diminuant son information, sa mise en forme. Dans ce cas, la *violence* n'exprimera pas la quantité d'énergie libérée par cet agent, mais pourra être conçue comme exprimant, quelle que soit cette quantité d'énergie, la caractéristique d'un agent assurant son application à un ensemble organisé en y provoquant un certain désordre. On s'aperçoit que l'agression ne peut être un concept unitaire car les mécanismes qui sont à l'origine de la libération énergétique destructurante sont relativement variés. C'est l'ignorance de ces mécanismes différents qui a conduit de nombreux auteurs, jusqu'ici, à établir une liste des types d'agression le plus souvent observés. Ils ont, en fait, distingué les situations déclenchantes ou les différents objets subissant l'agression sans préciser le plus souvent les mécanismes qui dans le système nerveux central sont mis en jeu. D'autre part, nous allons voir qu'un organisme est un système complexe et que les êtres vivants sont construits par *niveaux d'organisation*. La confusion qui résulte de l'ignorance des niveaux d'organisation dans l'expression de l'agressivité et de la violence a rendu extrêmement confuse son approche par les disciplines les plus variées, chacune établissant son observation à un niveau d'organisation particulier et croyant pouvoir, à partir de ce niveau, fournir une description globale du problème. On a essayé de définir les causes de l'agressivité ou, en d'autres termes, les facteurs produisant un effet sans préciser la structure de l'effecteur, son niveau d'organisation (individu, groupe, société), ses rapports avec celle des éléments, les cerveaux humains en cause, si ce n'est par des discours logiques, alors que la logique des mécanismes biologiques n'est pas celle du discours.

Dans les systèmes hypercomplexes, il ne s'agit plus de trouver les causes à une action. La causalité ne peut plus être conçue comme linéaire (« cause-effet »), suivant l'interprétation du déterminisme de la fin du xixe siècle. Dans ces systèmes, il est d'abord indispensable de découvrir l'organisation interne pour en comprendre le fonctionnement. Le béhaviorisme est à notre avis un exemple de l'erreur à laquelle conduit l'ignorance de ces mécanismes. La découverte d'une « analogie » entre un comportement animal et un comportement humain fait croire qu'il s'agit dans les deux cas d'un mécanisme identique, d'une « homologie ». L'effecteur étant différent, les relations entre les facteurs et le ou les effets ne peuvent être les mêmes. L'erreur fréquente consistant à considérer deux comportements, animal et humain, comme « homologues », c'est-à-dire supportés par une même entité génétique, à travers les phylums, alors qu'il ne s'agit que d'une analogie fonctionnelle, n'est d'ailleurs pas suffisante pour nous faire ignorer l'énorme apport de l'éthologie et du béhaviorisme aux sciences humaines.

LES NIVEAUX D'ORGANISATION :
RÉGULATEUR ET SERVOMÉCANISME

Les organismes vivants sont des systèmes ouverts sur le plan thermodynamique, c'est-à-dire qu'ils sont traversés par un courant d'énergie qu'ils dégradent et cela conformément au deuxième principe de la thermodynamique. C'est l'énergie photonique solaire qui, grâce à la molécule de chlorophylle, permet aux plantes vertes de transformer l'énergie lumineuse en énergie chimique et de construire des molécules complexes, réservoir temporaire de l'énergie solaire que la plante va utiliser pour l'établissement de sa propre structure, que les herbivores vont utiliser pour la même fin, en absorbant cette énergie stockée dans la plante et que les carnivores utiliseront, toujours dans le même but : maintenir leur structure, en dévorant les herbivores. C'est encore cette énergie que les omnivores comme l'homme absorberont, ce qui leur permettra de se maintenir en vie. On peut donc dire que grâce à la photosynthèse, c'est un grand courant d'énergie solaire qui traverse l'ensemble de la biosphère, en a permis l'apparition, l'évolution, l'organisation, construisant de l'ordre, une « néguentropie », à partir de l'entropie solaire, du désordre progressif du soleil. Cette description est valable sur le plan thermodynamique donc énergétique mais sur le plan informationnel, le problème est plus complexe, car nous avons indiqué que les organismes vivants étaient constitués par « niveaux d'organisation ». En effet, les atomes qui constituent les êtres vivants sont les mêmes que ceux qui constituent la matière inanimée mais ce sont les relations qui existent entre ces atomes qui en constituent leur première caractéristique. On sait d'ailleurs depuis long-temps qu'il existe une chimie minérale et une chimie organique, mais les molécules qui résultent de cette organi-sation particulière des atomes dans la matière vivante vont constituer des ensembles d'un niveau supérieur d'organisa-tion. Les réactions enzymatiques comprennent trois molé-cules, un substrat, une enzyme et le produit de la réaction enzymatique. Ces réactions enzymatiques sont la façon dont la matière vivante a résolu les problèmes d'échange énergétique qui nécessiterait une énergie d'activation considérable si la molécule enzymatique intermédiaire n'était pas là. Mais le biochimiste qui étudie une telle réaction à trois éléments dans un tube à essai, in vitro, s'aperçoit vite, lorsqu'une certaine quantité du produit de la réaction est obtenue, par le contact entre le substrat et l'enzyme, que rien ne se passe plus. On atteint un état d'équilibre qui n'ira jamais jusqu'à l'épuisement complet du substrat. En réalité, dans ces réactions qui sont souvent ce qu'il est convenu d'appeler des processus d'oxydoréduc-tion, l'enzyme ne fait que permettre le passage d'un électron à la fois, du substrat vers le produit de la réaction. Le substrat perd des électrons, il s'oxyde, le produit de la réaction en gagne et se réduit. Mais à partir d'un certain moment, pour une certaine quantité de substrat trans-formé, la réaction s'immobilise. En réalité, cette immobi-lité n'est constatée qu'au niveau d'organisation observé par le chimiste ; mais au niveau des déplacements électroni-ques, tout bouge car un certain nombre d'électrons, ayant abandonné le substrat, y reviendra lorsque l'état d'équili-bre sera atteint, dans un perpétuel échange. Un système comme celui-là ne fait plus rien. Il est en état d'équilibre. Or, dans les systèmes vivants, tout bouge. Il faut donc bien comprendre qu'un régulateur est constitué par un effecteur qui va recevoir de l'énergie et de l'information, ce qui constituera ses facteurs d'action. Il réalisera un effet, une action, mais la valeur de cette action va contrôler par une rétroaction généralement négative la valeur des facteurs, si bien qu'à partir du moment où la régulation est établie, la valeur de l'effet va osciller légèrement, suivant les caractéristiques de l'effecteur, autour d'une moyenne, mais qu'un tel système n'est plus capable de faire autre chose que de maintenir la valeur de l'effet. La réaction enzymatique isolée que nous venons d'envisager en est un exemple ; un exemple plus simpliste pourrait être un bain-marie, dans lequel de l'énergie électrique, énergie potentielle, pénètre et va être dégradée en chaleur. La caractéristique de ce régulateur, le thermostat, va permettre le maintien de la température de l'eau de ce bain-marie autour de 37 degrés par exemple. Dès qu'elle dépassera légèrement cette valeur, le système va interrompre le passage du courant. La température de l'eau va diminuer et dès qu'elle se sera éloignée légèrement de 37 degrés, le courant repassera, élevant à nouveau la température de l'eau. Ainsi, dans un tel système, l'effet, c'est-à-dire la température de l'eau à 37 degrés, contrôle-t-il la valeur des facteurs, c'est-à-dire la quantité de courant et la durée du passage de celui-ci pénétrant dans la résistance chauffante. Mais en réalité, un bain-marie est un appareil qui, dans un laboratoire, s'inscrit dans une chaîne expérimentale, au sein de laquelle on a souvent besoin d'obtenir et de maintenir, pendant un certain temps, la température de l'eau, à des valeurs variées. Il faudra donc intervenir sur ce régulateur pour qu'il fonctionne à un autre niveau thermique et c'est l'opérateur qui, de l'extérieur du système, réglera ce régulateur, le transformant en ce que nous appellerons un *servomécanisme*. Il en est de même pour la réaction enzymatique dont nous avons parlé et la commande du servomécanisme viendra de l'extérieur, du fait qu'elle s'inscrit dans une chaîne métabolique. Elle est précédée, dans cette chaîne, par une autre réaction enzymatique dont le produit de la réaction sera son propre substrat. A l'origine de cette chaîne de réactions enzymatiques se trouvera l'aliment, porteur de l'énergie photonique solaire qui sera dégradé progressivement et abandonnera cette énergie en la fixant dans une molécule de composés phosphorés dits riches en énergie, telle l'ATP[1], qui la mettra en réserve. De cette façon, l'ensemble cellulaire dans lequel va s'inscrire la chaîne métabolique pourra utiliser cette énergie de réserve, pour maintenir sa structure, c'est-à-dire l'ensemble des relations existant entre les atomes, les molécules, les voies métaboliques et, dans certains cas, pour libérer également de l'énergie mécanique, de telle façon que le milieu où se trouve cette cellule soit contrôlé par elle et que le maintien de la structure cellulaire en soit facilité.

Nous avons vu ainsi se profiler devant nous déjà un certain nombre de niveaux d'organisation : le niveau atomique, le niveau moléculaire, le niveau de la réaction enzymatique, celui des chaînes métaboliques, celui de la cellule. Ajoutons que ces chaînes métaboliques se trouvent généralement comprises dans ce qu'il est convenu d'appeler les organites intracellulaires, tels que les mitochondries, le noyau, les membranes, le réticulum endoplasmique, etc., qui constituent en quelque sorte les machines permettant à cette usine chimique qu'est la cellule de fonctionner. Mais on voit surtout que chaque niveau d'organisation ne pourrait rien faire par lui-même s'il ne recevait pas son énergie et ses informations, s'il n'était pas régulé par une commande qui lui vient du niveau d'organisation qui l'englobe. Il s'ensuit aussi que le fonctionnement et l'acti-

---

1. ATP molécule d'adénosine triphosphate : combinaison à une base purique, l'adénosine, d'un sucre à 5 atomes de carbone (pentose) et de trois molécules d'acide phosphorique. La libération des deux dernières de ces molécules d'acide phosphorique conduit à une libération d'environ 800 cal

vité des cellules dépendront de l'activité fonctionnelle des
organes et celle-ci de celle des systèmes auxquels ils
appartiennent. Ces systèmes se trouveront réunis dans un
organisme. Et cet organisme est lui-même situé dans un
environnement, un espace. C'est l'activité de cet organisme
dans cet espace qui va commander l'activité des systèmes
et, en conséquence, celle de tous les autres niveaux
d'organisation jusqu'au niveau moléculaire. Mais l'activité
de cet organisme, de cet individu, qui se trouve inclus lui-
même dans un groupe social, va être réglée par la finalité de
ce groupe social. Ce groupe social fait lui-même partie de
groupes sociaux plus grands qui l'englobent. Et l'on voit
que de niveau d'organisation en niveau d'organisation,
nous atteignons forcément le niveau d'organisation de
l'espèce. *Quand on parle d'agressivité, on ne peut donc pas
envisager celle-ci sans comprendre comment chaque niveau
d'organisation va rentrer fonctionnellement en rapport avec
celui qui l'englobe.*

Le réductionnisme consiste à couper la commande
extérieure à un niveau d'organisation, la commande extérieure au système que l'on observe et à croire qu'en
décrivant le fonctionnement de ce niveau d'organisation
isolé, on a compris l'ensemble du fonctionnement du
système. Malheureusement, chaque spécialiste ne fait autre
chose que de couper la commande extérieure au système et
d'observer un niveau d'organisation isolé. Le biochimiste,
par exemple, étudiera une réaction enzymatique in vitro,
ou bien il étudiera un organite intracellulaire isolé, des
mitochondries par exemple, ou bien encore il étudiera une
cellule isolée en culture ou une coupe de tissu. Le
physiologiste étudiera un organe isolé ou un système,
système nerveux, système cardio-vasculaire, système endocrinien. Le physiologiste étudiera aussi un organisme dans
le cadre, aux caractéristiques contrôlées, du laboratoire.
L'éthologiste n'étudiera chez l'animal et chez l'homme que
le comportement, isolé ou en situation sociale, le psycholo-

gue ajoutera l'expression langagière de ce comportement, le sociologue étudiera les sociétés, l'économiste, leur activité productrice, et le politique essaiera de gérer et de contrôler l'activité de masses humaines plus ou moins importantes. Chacun d'eux (et ce ne sont encore là que quelques types de réduction) ignore à peu près totalement ce que l'autre a pu retirer de l'étude du niveau d'organisation auquel il s'est consacré. Et il est d'ailleurs difficile de faire autrement. Dans ces systèmes hypercomplexes, les facteurs qui interviennent sont si nombreux que l'on est obligé d'isoler un niveau d'organisation pour l'observer correctement, en ne faisant varier qu'un seul facteur à la fois et en regardant ce que cette variation va produire sur la valeur de l'effet. On devient ainsi capable de contrôler un certain nombre de variables, de voir leur domaine de variation, et leur influence sur l'effet produit par l'effecteur. Mais il ne faut surtout pas penser que le niveau d'organisation replacé en situation dans le système qui l'englobe va se comporter de la même façon. De nombreuses variables auront été ignorées et ce n'est que par ce retour à sa situation d'origine qu'on pourra s'apercevoir que les effets observés et contrôlés sur le niveau d'organisation isolé ne sont pas les mêmes que ceux que l'on observe lorsqu'il est remis en place. Nous avons longuement insisté sur cette notion de niveaux d'organisation, de régulateurs et de servomécanisme parce qu'il nous semble que si l'on n'en tient pas compte, on est conduit aux plus grossières erreurs d'interprétation.

Sur le sujet que nous allons aborder, l'agressivité et la violence, nous n'ignorons pas que d'excellents ouvrages ont été publiés. Ils présentent généralement de nombreuses statistiques, d'origine officielle, émanant de pays variés, en particulier occidentaux, où elles sont établies de façon précise depuis déjà de nombreuses années. Elles permettent de réaliser une étude historique de l'évolution de la violence dans ces pays. L'étude parallèle de l'évolution

économique, sociologique et politique pendant les mêmes
périodes permet de constater que les « causes » de la
violence sont si nombreuses, leurs relations si complexes,
leur mise en évidence si difficile, leur importance réciproque pratiquement impossible à préciser, le domaine dans
lequel évolue l'écart des variables si confus qu'il faut
beaucoup d'intuition ou d'affectivité pour fournir une
interprétation séduisante à cette masse de faits, en les
observant avec la seule lunette historico-sociologique. Il
faut reconnaître d'ailleurs que l'historien ou le sociologue
n'ont généralement pas la prétention de décrire un mécanisme à l'apparition des faits observés. Mais en essayant
parfois d'en décrire les « causes », ils s'exposent cependant, dépassant l'exposé simple des faits, à établir des
relations de causalité linéaire et simpliste entre ces faits et
les facteurs qu'ils tentent de leur découvrir. Il suffit de
constater que, pour la majorité d'entre eux, la violence est
une donnée première du comportement de l'espèce sans
qu'ils se posent la question de savoir quel est le mécanisme
au niveau des systèmes nerveux humains qui en permet
l'expression. Considérant que la violence fait partie inté-
grante des caractéristiques de l'espèce humaine sans chercher à connaître les mécanismes neurophysiologiques et
biochimiques qui la commandent, ils se perdent souvent
dans la forêt inextricable des facteurs psychologiques,
sociologiques, économiques et politiques capables de la
déclencher en accordant à chacun une « valeur » qui n'est
autre le plus souvent que celle qui leur est attribuée par
leur propre affectivité inconsciente. Nous n'exprimons pas
là, comprenons-le bien, un désir de domination de la
biologie sur les sciences humaines qui ne serait d'ailleurs
qu'un désir de domination du biologiste sur le psychologue
ou le sociologue. Il s'agit simplement d'une méthodologie
d'approche du monde vivant qui est cohérente avec la
structure de ce monde tel que nous sommes capables de
l'appréhender et que nous essayons depuis plus de vingt

ans de diffuser, en nous heurtant à tous les réduc-
tionnismes valorisants. Il résulte de cette notion de
niveaux d'organisation qu'il est finalement plus important,
pour comprendre la dynamique de l'ensemble des structures vivantes, de préciser les relations existant entre
chaque niveau d'organisation que de préciser la structure, par ailleurs indispensable à connaître, d'un de ces
niveaux.

Il faut dire aussi que, comme nous l'avons déjà signalé,
aussi fine que puisse être notre approche d'une structure, le
modèle que nous pouvons en fournir ne sera toujours qu'un
sous-ensemble de l'ensemble des relations, c'est-à-dire de la
Structure (avec un grand S). Une autre notion découle de
celle des niveaux d'organisation : nous avons été contraints
de distinguer, dans la notion d'information qui étymologi-
quement veut dire « mise en forme », une information que
nous avons appelée « *information-structure* » et une information que nous avons appelée « *information circulante*[1] ».
L'information-structure est celle qui met en forme chaque
niveau d'organisation de l'atome à l'espèce. L'information
circulante est celle qui circule, comme son nom l'indique,
d'un niveau d'organisation à un autre et permet la cohérence de l'ensemble des systèmes. C'est elle qui transforme
un régulateur en servomécanisme. Certaines structures en
constituent le support privilégié : la structure moléculaire
des hormones par exemple permet de transformer le
métabolisme d'une cellule ou de groupes de cellules ou de
tissus suivant l'exigence de l'ensemble organique, en le
prévenant du travail métabolique qu'ils ont à fournir pour
que cet organisme réponde aux exigences de l'environnement. De même le système nerveux par les neurohormo-
nes, c'est-à-dire les molécules chimiques qu'on appelle
neuromédiateurs, va permettre de réunir les différentes
cellules et tissus d'un organisme au système d'intégration

---

1. H. LABORIT (1974) : *la Nouvelle Grille*, R. Laffont éd.

central, le système nerveux, et d'en faire un tout cohérent ayant sa propre finalité, celle de conserver la structure de chaque niveau d'organisation nécessaire au maintien de la structure de l'ensemble. La structure de l'ensemble, il faut le comprendre, ou du moins son maintien, est nécessaire au maintien de celle de chaque niveau d'organisation. Une distinction analogue se retrouve en linguistique par exemple où la structure du message — c'est-à-dire l'ensemble des relations existant entre les lettres, entre les phonèmes, les monèmes, entre les mots —, la syntaxe d'une phrase, le signifiant en quelque sorte, est le support d'un signifié, c'est-à-dire de l'information qui sera véhiculée par ce signifiant et qui ira influencer une autre structure. Cette dernière est le cerveau de celui qui va recevoir le message. Un organisme vivant est bien, comme l'a indiqué Prigogine, un système ouvert dans lequel l'énergie photonique solaire circule, mais nous ajouterons que sa structure est constituée de sous-ensembles fermés dans leur information-structure qui ne peuvent s'ouvrir que par leur englobement et leur mise en relation, par servomécanisme, avec une structure englobante elle-même englobée.

Il y a trente ans, les expériences de Miller, reproduites et poursuivies depuis dans de nombreux laboratoires, ont montré qu'en reconstituant une atmosphère terrestre primitive telle que la géologie nous permet de l'imaginer, en y faisant passer des décharges électriques analogues à celles qui devaient parcourir cette atmosphère primitive avec les orages magnétiques de l'époque, on obtient des structures de plus en plus complexes et en particulier les premières pièces des systèmes vivants : des acides aminés. Dès 1960, nous avions considéré que le résultat de cette expérimentation semblait logique car l'énergie cinétique des molécules, se déplaçant au hasard, augmentait en conséquence les chances pour ces molécules de se rencontrer et de constituer alors des molécules plus complexes. On parvient aujourd'hui avec des expériences analogues à construire des bases puriques et pyrimidiques qui sont indispensables à la construction des acides nucléiques. Depuis, von Foster a montré expérimentalement qu'on pouvait faire de l'ordre à partir du bruit, autrement dit, que l'ordre pouvait naître du désordre. Ainsi l'ordre du vivant, comme nous avons déjà eu l'occasion de le dire, viendra du désordre progressif de la masse solaire, mais, ajoutons-le, dans des conditions physico-chimiques très particulières qui sont celles qui sont apparues il y a trois milliards cinq cents millions d'années, à la surface de notre planète, et qui ont permis l'épanouissement de la biosphère. La matière inanimée pénètre les êtres vivants et a pénétré en particulier les êtres unicellulaires, les premiers apparus sur notre planète. Elle apporte les éléments nécessaires au maintien et à l'accroissement de leur structure et s'intègre dans le volume de la cellule. Mais ce volume croît comme les cubes alors que la surface cellulaire ne croît que comme les carrés. Il en résulte une diminution progressive de l'approvisionnement énergétique de la cellule à mesure de la croissance en volume et cela nécessitera la division cellulaire. Il n'existe pas de cellule grosse comme un bœuf. Un nouveau niveau d'organisation suivra par l'association de ces cellules en société. Elles constitueront les premiers organismes pluricellulaires. Au centre de ceux-ci les cellules n'auront plus accès direct sur la mer primitive pour y puiser leur matière nourricière, c'est-à-dire l'énergie nécessaire à l'approvisionnement de la petite usine chimique qu'elles représentent et pour y déverser les déchets de leur activité. Certaines cellules seront donc obligées de se différencier et d'assurer des fonctions d'approvisionnement et d'évacuation des nuisances : ce sera le système digestif, le système cardio-vasculaire et les émonctoires. D'autres encore se différencieront en assurant l'activité locomotrice, la possibilité de se déplacer dans l'espace à la recherche de la nourriture : ce seront les systèmes nerveux et musculaire. D'autres encore assureront les communications intercellu-

laires, permettant à l'organisme d'agir comme un tout
cohérent ; nous avons dit que c'était le rôle des systèmes
nerveux et endocrinien. D'autres enfin assureront le recueil
des informations sur ce qui se passe dans l'environnement
et leur intégration : ce seront les organes des sens et le
système nerveux sensoriel dans son ensemble. Nous comprenons maintenant que ces niveaux d'organisation se sont
établis phylogénétiquement en allant du simple au complexe. Nous comprenons aussi que la seule chose qui
distingue les organismes vivants de la matière inanimée
dont ils sont constitués est bien leur structure. Il y a pas mal
de temps déjà que l'on connaît les atomes qui constituent
une molécule d'acide désoxyribonucléique ; on connaissait
donc les éléments constituant cette structure complexe sur
le plan de la thermodynamique et ce qui constituait
l'essentiel d'un gène. Mais tant qu'on n'en avait pas
découvert la structure, c'est-à-dire tant qu'on n'avait pas
connu la façon dont ces atomes sont réunis pour former la
molécule d'acide désoxyribonucléique ni compris qu'ils
s'organisaient en double hélice — ce qui ne remonte à
guère plus de trente ans — on n'avait rien compris au
mécanisme de la construction progressive ontogénétique
d'un organisme vivant et à la reproduction au cours de
l'évolution des caractéristiques d'une espèce.

    J'ai utilisé à plusieurs reprises le mot de finalité qui peut,
pour certains, avoir un certain relent de finalisme. Je n'ai
pas cédé à la crainte de Pettendrigth et, après lui, de
Jacques Monod qui ont préféré utiliser le terme de
téléonomie. Là encore, il suffit de s'entendre par conven-
tion : un effecteur pour agir a besoin d'un but ; c'est
Couffignal qui l'a souligné. Cela veut dire simplement que
cet effecteur est programmé ou, si l'on veut, possède une
structure qui lui permet la réalisation de ce but. Mon œil
n'est pas fait « pour » voir, mais il est structuré de telle
façon que l'organisme dans lequel il est placé, grâce à lui,
peut voir.

Ces notions sont indispensables pour comprendre qu'il n'y a pas à rechercher d'analogie structurelle entre les niveaux d'organisation mais à mettre en évidence les relations existant entre chaque niveau. En ce sens, il ne peut y avoir de solution de continuité entre la molécule d'acide désoxyribonucléique et l'espèce humaine. Une notion rarement émise et qui me paraît pourtant importante, c'est que notre espèce constituant le dernier épanouissement de l'évolution des espèces dans la biosphère, de la complexification croissante de la matière organique, n'a pas compris qu'elle était cependant englobée dans cette biosphère, dépendant elle-même d'une commande extérieure au système, et qu'elle restait donc soumise, comme les autres espèces, à une pression de nécessité. Elle a inventé des règles, *extérieures à elle-même,* religions révélées, morales, idéologies, structures étatiques avec leurs lois, alors que ce faisant, elle restait enfermée dans son niveau d'organisation et demeurait dans l'ignorance totale de ce qui commandait au comportement des individus et des groupes, et à la sécrétion de ces différents règlements de manœuvre. Le malheur de l'homme, semble-t-il, vient de ce qu'il n'a pas trouvé le moyen de transformer la régulation individuelle en servomécanisme inclus dans l'espèce, il s'arrête toujours en chemin à des groupes, des sous-ensembles qui ne conceptualisent pas eux-mêmes leur appartenance à cette espèce ni ne découvrent les moyens d'être englobés par elle. Il n'est pas étonnant, dans ces conditions, que nous nous apercevions tardivement que l'espèce humaine n'a pas géré les biens à sa disposition, biens matériels et énergétiques, monde vivant de la flore et de la faune et monde humain lui-même, aboutissant à l'organisation des structures économiques et sociales. En effet, tous les niveaux d'organisation qui vont de la molécule au système nerveux humain et à son fonctionnement en situation sociale ont jusqu'ici été ignorés et remplacés par un discours, dont la raison d'être est que l'analyse logique à partir de faits dits objectifs aboutit forcément à la réalité ; mais la logique du discours n'a rien à voir avec la logique de la chimie et de la neurophysiologie du système nerveux humain en situation sociale.

Ces généralités peuvent paraître un peu longues et surtout sembler n'avoir aucun rapport avec le sujet qui nous occupe. Nous espérons cependant, au cours des pages qui vont suivre, montrer qu'il était indispensable de les rappeler, si l'on veut étudier le problème de l'agressivité et de la violence de façon interdisciplinaire et cohérente. Il y a vingt à vingt-cinq ans que nous exprimons, sans crainte de nous répéter, les généralités précédentes. Malgré leur répétition, elles ne semblent parvenir à la conscience de nos contemporains que bien difficilement, en pièces détachées, suivant l'apprentissage antérieur de ceux qui les écoutent.

SIGNIFICATION FONCTIONNELLE
DES CENTRES NERVEUX SUPÉRIEURS

Les individus qui constituent un ensemble humain ne sont pas isolés entre eux et l'ensemble qu'ils constituent n'est pas isolé non plus des autres ensembles humains qui peuplent le monde. Si le monde matériel auquel s'ajoutent la faune et la flore dans un espace géoclimatique donné constitue une partie de l'environnement humain, les autres hommes sont sans doute pour un individu le premier environnement, le plus essentiel. Les relations qui s'établissent entre les individus ne sont pas aléatoires mais résultent de l'activité de leur *système nerveux*. Or, toutes les actions d'un organisme par l'intermédiaire de son système nerveux n'ont qu'un but, celui de maintenir la structure de cet organisme, son équilibre biologique, c'est-à-dire de réaliser son plaisir. La seule raison d'être d'un être est d'être. Ce qu'il est convenu d'appeler la pensée chez l'homme ne sert qu'à rendre plus efficace l'action.

Les milliards de cellules qui constituent un organisme humain baignent dans ce que Claude Bernard en 1878 a nommé le « milieu intérieur » ; ce n'est à vrai dire que le morceau d'océan primitif entouré par les cellules isolées lorsqu'elles se sont réunies en un organisme pluricellulaire et qu'elles ont entraîné avec elles, en passant de la vie aquatique à la vie aérienne. C'est dans ce milieu intérieur qu'elles trouveront les substrats nécessaires à leur fonction-

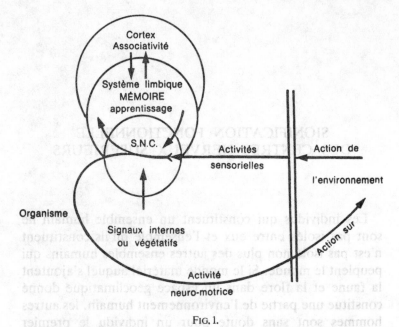

FIG. 1.

nement biochimique et qu'elles déverseront les déchets
produits par leur métabolisme. La mobilisation de ce
milieu intérieur, permettant, d'une part, d'apporter aux
cellules les substrats énergétiques qui parviennent à l'organisme par l'intermédiaire du système digestif et, d'autre
part, d'évacuer les déchets de leur travail par les émonctoires, sera réalisée par le système cardio-vasculaire. Claude
Bernard a écrit que « la constance des conditions de vie
dans notre milieu intérieur était la condition nécessaire à
notre vie libre et indépendante ». « La constance des
conditions de vie dans notre milieu intérieur » fut appelée,
dans les années vingt, par un physiologiste américain,
Cannon, « homéostasie », mais vers la même époque, un
médecin, Sigmund Freud, attira l'attention sur le « principe de plaisir ». On peut dire que « constance des
conditions de vie dans notre milieu intérieur », « homéo-

stasie » et « plaisir » expriment un même état d'équilibre. Ce terme d'équilibre, en biologie, est dangereux. L'équilibre ne se réalise en réalité que dans la mort. Les systèmes vivants sont bien, comme l'a dit Prigogine, des « systèmes ouverts sur le plan thermodynamique mais qui sont en perpétuel état de non-équilibre ». La phrase de Claude Bernard que nous venons de citer a fait croire qu'il suffisait de rétablir l'équilibre des conditions de vie dans notre milieu intérieur pour assurer la santé d'un organisme. La réanimation, pour certains, a été et reste encore constituée par les techniques permettant de rétablir par substitution, remplacement, l'équilibre du milieu intérieur. Ceux-là ignorent l'existence de la cellule, sans doute parce que la biochimie cellulaire intégrée est trop complexe et exige un ensemble de connaissances qu'ils n'ont pas encore acquises. Mais c'est la cellule qui vit et non le milieu intérieur. C'est elle qui doit être réanimée et non le milieu intérieur. C'est en passant par la réanimation de la cellule que l'on peut efficacement réanimer le milieu intérieur. Bien sûr une cellule ne peut vivre dans l'acide sulfurique fumant et la réanimation du milieu intérieur fera partie mais seulement partie de la réanimation générale. L'importance du milieu intérieur n'est pas là. C'est un moyen de réunion de l'ensemble cellulaire et ses variations, les variations de ses caractéristiques physico-chimiques au-delà de certaines limites, vont influencer, exciter ou inhiber certaines cellules nerveuses, certains neurones, situés dans une région très primitive du cerveau.

On peut ainsi considérer qu'un système nerveux possède essentiellement pour fonction :

1. De capter des signaux internes qui résument l'état d'équilibre ou de déséquilibre dans lequel se trouve l'ensemble de la société cellulaire organique. Quand le dernier repas, par exemple, remonte à plusieurs heures, le déséquilibre du milieu intérieur qui en résulte constitue le signal interne qui, stimulant certaines régions latérales de l'hy-

pothalamus, va déclencher le comportement de recherche
de la nourriture et, si les organes des sens avertissent de la
présence d'une proie dans leur environnement, le comportement de prédation.

2. Mais ce cerveau primitif devra, en conséquence,
capter les variations énergétiques survenant dans l'environnement et cela grâce aux organes des sens dont la sensibi-
lité aux variations énergétiques variera avec les espèces.
Les chiens et les dauphins sont capables d'enregistrer les
ultrasons alors que l'homme n'en est pas capable. Les
terminaisons nerveuses sensibles enregistreront donc les
variations d'énergie lumineuse par la rétine, par exemple,
d'énergie mécanique pour le tact, d'énergie sonore pour
l'audition, ou d'énergie chimique, pour le goût et l'odorat.

3. Ces renseignements sur ce qui se passe à l'extérieur de
l'organisme vont confluer vers ce même cerveau primitif
qui va donc être capable d'intégrer les informations essentielles, fondamentales, lui venant de la colonie cellulaire
dans laquelle il se trouve inclus et, d'autre part, les
informations qui lui parviennent concernant cet espace, où
il se situe, son environnement. Intégrant ces deux sources
d'informations d'origine interne, qui constitueront ses
motivations à agir, et externe, qu'on peut dire circonstan-
cielles, ce système nerveux pourra informer d'autres éléments cellulaires, les muscles. Le système neuromusculaire
assure un comportement adapté à l'assouvissement des
besoins fondamentaux. En d'autres termes, les muscles, en
se contractant et en permettant à l'organisme de se
déplacer dans un espace, vont permettre d'agir sur cet
espace, sur cet environnement, de telle façon que la survie,
la structure de l'ensemble cellulaire, soit conservée. Si
l'action est efficace et rétablit cet équilibre, en passant,
mais pas toujours immédiatement, par le rétablissement de
l'équilibre du milieu intérieur, d'autres groupes cellulaires
de la même région hypothalamique commanderont une
sensation et un comportement de « satiété ». Ces compor-

tements déjà extrêmement complexes dans leurs mécanismes biochimique et neurophysiologique sont cependant parmi les plus simples et sont indispensables à la survie immédiate, comme le sont aussi les mécanismes qui gouvernent la satisfaction de la faim, de la soif et de la reproduction, depuis les danses nuptiales et l'accouplement, la préparation du gîte, l'éducation première des descendants. Ces comportements sont les seuls à pouvoir être qualifiés d'*instinctifs,* car ils accomplissent le programme résultant de la structure même du système nerveux. Ils sont nécessaires à la survie aussi bien de l'individu que de l'espèce. Ils dépendent donc d'une région très primitive du cerveau commune à toutes les espèces dotées de centres nerveux supérieurs et ils sont encore présents chez nous dans ce que l'on appelle l'hypothalamus et le tronc cérébral. Quand le stimulus existe dans l'environnement, que le signal interne est lui-même présent, ces comportements sont stéréotypés, sont incapables d'adaptation, insensibles à l'expérience car la mémoire, dont est capable le système nerveux simplifié qui en permet l'expression, est une mémoire à court terme, ne dépassant pas quelques heures. Ces comportements répondent à ce que l'on peut appeler les *besoins fondamentaux.* Ils sont régis par une mémoire de l'espèce qui structure le système nerveux et dépendent de l'acquis génétique, des gènes qui dirigent l'organisation de ce système nerveux. Il y a donc bien mémoire mais mémoire qui se transmet de génération en génération et qui est incapable de transformation par l'expérience.

Nous devons retenir que ce n'est primitivement que par une *action motrice* sur l'environnement que l'individu peut satisfaire la recherche de l'équilibre biologique, autrement dit son homéostasie, son bien-être, son plaisir. Cette action motrice aboutit en réalité à conserver la structure complexe de l'organisme dans un environnement moins organisé et cela grâce à des échanges énergétiques maintenus dans certaines limites entre cet environnement et lui. A l'op-

posé, l'absence de système nerveux rend les végétaux
entièrement dépendants de la niche écologique qui les
environne. Ce cerveau primitif est ce que Mac Lean a
appelé le « cerveau reptilien ».

Chez les premiers mammifères apparaissent des formations nouvelles situées en dérivation sur le système précédent, c'est ce qu'il est convenu d'appeler depuis Broca le
« *système limbique* ». Considéré classiquement comme le
système dominant l'affectivité, il paraît plus exact de dire
qu'il joue un rôle essentiel dans l'établissement de ce qu'on
appelle la mémoire à long terme, sans laquelle l'affectivité
ne paraît guère possible. On sait qu'un neurone est une
cellule constituée par un corps cellulaire où prennent
naissance d'une part des prolongements très fins que l'on
appelle les dentrites, très nombreux, et d'autre part un seul
prolongement plus volumineux et beaucoup plus long
qu'on appelle l'axone. A sa terminaison, l'axone entre en
relation avec un autre neurone au niveau de ce qu'on
appelle une synapse. La terminaison de l'axone au niveau
de cette synapse est renflée en un bouton et dans ce
renflement, le synaptosome, se trouvent des granules, des
corpuscules, de petites vésicules qui contiennent des substances chimiques appelées « médiateurs chimiques de l'influx nerveux ». Pourquoi ce nom ? Parce que lorsque
l'influx nerveux qui se déplace du corps du neurone vers la
synapse va parvenir à la terminaison de l'axone au niveau
du synaptosome, ces vésicules vont se coller à la membrane
synaptique et déverser leur contenu dans l'espace qui
sépare le neurone du neurone suivant. Le neurone suivant
possède sur sa membrane synaptique un ensemble moléculaire, qu'on appelle un récepteur, et dont la structure
spatiale est conforme à celle du neuromédiateur libéré qui
va donc venir occuper ce récepteur, stimuler ou inhiber le
neurone suivant. En conséquence l'influx nerveux va se
propager de neurone en neurone grâce à une médiation
chimique. Il faut dire en passant que nous connaissons les

acides aminés qui sont à l'origine de la synthèse des médiateurs chimiques de l'influx nerveux dans ces neurones. Nous connaissons actuellement une vingtaine au minimum de médiateurs chimiques de l'influx nerveux mais, avec les polypeptides cérébraux récemment découverts, le nombre de ces neuromédiateurs augmente chaque jour. Nous connaissons le plus souvent les enzymes qui vont permettre la transformation par étapes successives de ces acides aminés en la structure moléculaire du médiateur chimique. Nous commençons à savoir comment ces vésicules dans lesquelles ils sont stockés, donc inactifs, vont, au moment du passage de l'influx nerveux, se coller à la membrane et se déverser dans l'espace intercellulaire. Nous connaissons un certain nombre des récepteurs postsynaptiques de ces médiateurs chimiques, nous savons comment ces médiateurs sont réintégrés dans le synaptosome, donc rendus inactifs par recaptation et nous savons aussi quelles sont les enzymes qui les détruisent, donc les inactivent aussi. Mais nous avons également à notre disposition tout un arsenal de molécules chimiques, inventées par l'homme, qui vont agir sur la synthèse, sur la libération, sur la recaptation et sur la destruction de ces médiateurs chimiques, ce qui constitue la neuropsychopharmacologie. Elle permet d'intervenir de façon relativement spécifique sur le fonctionnement des voies neuronales au niveau des différents systèmes, des différentes aires du système nerveux central et périphérique.

Les mémoires

Quand l'influx nerveux parvient au niveau du synaptosome, il déclenche également une synthèse de molécules protéiques qui vont, semble-t-il, se fixer sur la surface d'une synapse et la transformer de telle façon que, lorsqu'un influx parviendra dans la même région, il passera préférentiellement au niveau des synapses déjà codées par l'expérience antérieure, là où le passage antérieur d'un influx nerveux par les mêmes voies neuronales a en quelque sorte frayé le chemin. Cette facilitation constitue probablement le substratum de la *mémoire à long terme.* Il est bon de rappeler que, lorsqu'un organisme a rencontré un bacille, il a réalisé au niveau de certaines cellules spécialisées, de la même façon, une synthèse de molécules protéiques qu'on appelle « anticorps » et ces anticorps constituent la base de la mémoire immunitaire. On s'aperçoit de plus en plus que la mémoire nerveuse a de nombreux points communs avec la mémoire immunitaire. Mais alors il ne s'agit plus d'un microbe mais d'un influx qui laisse une trace et cet influx a été commandé par le contact de cet organisme avec son environnement. Si l'on interdit la synthèse protéique, grâce à certaines substances comme la cycloheximide, l'actinomycine ou la puromicine, on va interdire la possibilité d'établir une mémoire à long terme. De même en favorisant la synthèse protéique au moment de l'apprentissage, on va favoriser la mémorisation de cette expérience. Bien sûr il existe d'autres mémoires, telles que la mémoire à court terme qui ne persiste que pendant une durée de temps limitée, tant que les influx circulent encore dans les voies neuronales grâce à la multiplicité des boucles rétroactives en particulier au niveau des formations dites « réticulaires ». Ce n'est pas le lieu de développer les bases biochimiques et neurophysiologiques de ces différents types de mémoire auxquels notre groupe a ajouté une mémoire à moyen terme qui semble due à la synthèse protéique très spécifique des mitochondries synaptosomales.

La mémoire à long terme est nécessaire pour savoir qu'une situation a déjà été éprouvée comme agréable ou désagréable et pour que ce qu'il est convenu d'appeler un affect puisse être, en conséquence, déclenché par son apparition ou par toutes situations qu'il n'est pas possible a priori de classer dans l'un des deux types précédents par suite d'un déficit informationnel à son égard. L'expérience agréable est *primitivement* celle permettant le retour ou le maintien de l'équilibre biologique dont nous avons longuement parlé, la désagréable est celle qui est dangereuse pour cet équilibre, donc pour la survie, pour le maintien de la structure organique dans un environnement donné. La mémoire à long terme va donc permettre la répétition de l'expérience agréable et la fuite ou l'évitement de l'expérience désagréable. Elle va surtout permettre l'association temporelle et spatiale au sein des voies synaptiques de traces mémorisées et liées à un signal signifiant à l'égard de l'expérience. Donc elle va provoquer l'apparition de réflexes conditionnés aussi bien pavloviens, c'est-à-dire affectifs ou végétatifs, que skinnériens, c'est-à-dire opérants, ce qui veut dire à expression motrice, agissant sur l'environnement.

Nous avons parlé plus haut des besoins fondamentaux, mais la mémoire à long terme en permettant la création d'automatismes sera à l'origine de besoins nouveaux qui ne pourront plus être appelés instinctifs et qui le plus souvent sont d'ordre socioculturel. Ils sont le résultat d'un apprentissage. Ces besoins sont des *besoins acquis* et ils deviendront nécessaires au bien-être, à l'équilibre biologique, car ils transforment l'environnement ou l'action humaine sur cet environnement, de telle façon qu'un effort énergétique moindre devient alors suffisant pour maintenir l'homéostasie. Et ces besoins acquis pourront être à l'origine de pulsions qui chercheront à les satisfaire par une action gratifiante sur l'environnement, mais ils pourront aussi entrer en conflit avec d'autres automatismes, d'origine socioculturelle eux aussi, qui en interdisent l'expression, c'est-à-dire que, dépendant de la culture dans laquelle un organisme a grandi, certains besoins acquis seront récompensés ou punis et la crainte de la punition peut entrer en conflit avec le besoin à satisfaire. Nous pouvons alors

définir le *besoin* comme la quantité d'énergie ou d'information nécessaire au maintien d'une structure nerveuse soit
innée (c'est le cas du besoin fondamental), soit *acquise*
(c'est le cas du besoin acquis). La structure acquise en effet
résulte de relation interneuronale établie par l'apprentissage d'une nouvelle structure moléculaire acquise grâce à
cet apprentissage. Mais comme nous verrons qu'en situation sociale ces besoins fondamentaux ou acquis ne peuvent
généralement s'assouvir que par la dominance, la motivation fondamentale dans toutes les espèces s'exprimera par
la recherche de cette dernière, d'où l'apparition des
hiérarchies et de la majorité des conflits inconscients qui
constituent pour nous la base de ce qu'on appelle parfois
pathologie corticoviscérale ou psychosomatique, et qui
serait plus justement appelée pathologie de l'inhibition
comportementale. Nous verrons plus tard pourquoi. Chez
l'homme les interdits et les besoins d'origine socioculturelle
s'exprimant, s'institutionnalisant et se transmettant par
l'intermédiaire du langage, le cortex sera également impli-
qué dans sa genèse comme fournisseur d'un discours
logique au mécanisme conflictuel des aires sous-jacentes.

L'empreinte

Chez l'homme et chez l'animal, un autre type de
mémoire dont nous n'avons pas encore parlé et qui
présente une importance considérable est celle qui corres-
pond à ce que Konrad Lorenz a appelé le « *processus de
l'empreinte* ». Sigmund Freud avait déjà soupçonné, en son
temps, l'importance des premières années chez l'enfant et
les travaux modernes des éthologistes, des histologistes
entre autres, ont montré pourquoi cette expérience primitive était fondamentale. En effet, à la naissance, le cerveau
des mammifères et de l'homme est encore immature. Bien
sûr, il a son nombre de neurones et il ne fera plus qu'en

perdre au cours de son existence. Mais ces neurones n'ont pas encore établi entre eux tous leurs contacts synaptiques. Ces synapses vont se créer pendant les premières semaines, au cours des premiers mois chez l'animal, pendant les premières années chez l'homme, en fonction du nombre et de la variété des stimuli qui proviennent de l'environnement. On comprend que plus ces synapses nouvellement créées sont nombreuses, plus les possibilités d'associativité d'un cerveau sont grandes et l'on comprend d'autre part que ces synapses soient indélébiles. La trace qui va accompagner leur création et la mémoire qui sera liée à cette création seront elles-mêmes indélébiles. C'est ce qu'a bien montré Konrad Lorenz. Ainsi, un jeune chaton enfermé à sa naissance dans une cage avec des barreaux verticaux pendant un mois et demi, ce qui constitue pour lui la période de plasticité de son cerveau, lorsqu'il sera placé dans une cage avec des barreaux horizontaux, butera contre eux pendant tout le restant de son existence parce qu'il ne les verra jamais. Son cerveau n'a pas été habitué dans la première période de sa vie à coder les voies neuronales de telle façon qu'il voie des barreaux horizontaux. Un jeune poulet peut être placé à sa naissance en contact avec un seul objet dans son environnement qui est un leurre, lorsqu'il aura atteint l'âge adulte, on pourra lui présenter les plus belles poules, ce n'est pas avec elles qu'il tentera la copulation mais avec son leurre. De jeunes rongeurs, à leur naissance, provenant de la même mère, de la même portée, peuvent être placés les uns dans ce qu'on appelle un environnement enrichi et les autres dans un environnement banalisé, appauvri. A l'âge adulte, si pour se nourrir ils ont à résoudre un problème de labyrinthe, les premiers résoudront le problème rapidement, les seconds ne le résoudront jamais [1]. On peut en déduire l'importance

1. Ce type d'expérience a encore été répété récemment par D. N. Spinelli et F. E. Jensen (1979) : « Plasticity : The mirror of experience », *Science, 203,* 4375, pp. 75-78.

du milieu social dans ses premiers mois pour l'animal, dans ses premières années pour l'homme. Pendant ces premières années, en effet, tout s'apprend. L'enfant à sa naissance ne sait même pas qu'il existe dans un environnement différent de lui. Il doit découvrir ces faits par expérience. Quand un enfant touche avec sa main son pied, il éprouve une sensation au bout de ses doigts et au bout de son pied et cela se boucle sur lui-même. Lorsqu'il touche le sein de sa mère, ou son biberon, cette sensation ne se réfléchit plus sur lui mais sur un monde différent de lui. Il faudra donc qu'il sorte progressivement de ce que certains psychiatres appellent son « moi-tout », cet espace dans lequel il est l'univers qui l'entoure et c'est par mémoire et apprentissage qu'il va découvrir la notion d'objet, le premier objet étant lui-même. Il va devoir créer son image corporelle, son *schéma corporel.* Il va falloir qu'il découvre par expérience qu'il est limité dans l'espace et que l'espace qui l'entoure n'est pas lui. La notion d'objet n'est pas innée et nous ne nous souvenons pas de nos premières années parce que nous ne savions pas qu'un monde nous entourait, qui n'était pas nous.

La notion d'objet et l'associativité

Il faut bien comprendre que le monde extérieur pénètre dans notre système nerveux par des canaux sensoriels séparés, canaux visuels par exemple, aboutissant au cortex occipital, canaux auditifs, canaux tactiles, canaux osmiques, canaux gustatifs. Ils suivent donc des voies séparées qui convergent vers des régions séparées du cortex, et cette troisième région cérébrale, dont nous n'avons point encore parlé, aura avant tout un rôle associatif. Elle va associer ces différentes régions corticales et permettre de les réunir au moment où l'action recueille sur un même objet des sensations séparées visuelles, auditives, kinesthésiques tactiles, osmiques ou gustatives. Cela n'est possible que par l'action sur l'objet et par l'apprentissage qui résulte de la réunion au même moment sur un même objet de différentes sensations pénétrant notre système nerveux par des voies séparées. On peut donc admettre que les éléments constituant un ensemble objectal étant incorporés dans notre système nerveux à partir de canaux sensoriels différents ne se trouveront associés dans notre mémoire à long terme que parce que l'action sur l'environnement nous montre par expérience qu'ils se trouvent associés dans un certain ordre qui est celui de la structure sensible d'un objet. Il en résultera la création d'un modèle neuronal du monde qui nous entoure et en cela l'animal est aussi doué que l'homme, il a même parfois certains systèmes sensoriels plus développés que lui. S'il n'avait pas constitué un tel modèle, il ne pourrait pas vivre dans l'environnement et agir sur lui.

L'imaginaire

Ce n'est donc pas ce type d'associativité qui fait qu'un homme est un homme. Mais il existe chez l'homme dans la région orbito-frontale une masse de cellules nerveuses purement associatives qui vont associer entre elles des voies nerveuses codées par l'expérience et les voies nerveuses sous-jacentes, en particulier celles qui assurent le fonctionnement du système limbique, celui de la mémoire à long terme. Nous sommes très fiers de notre front droit avec juste raison : l'homme de Néanderthal avait un angle orbito-frontal de 65° et, à partir de l'homme de Cro-Magnon, l'angle orbito-frontal est de 90°. Derrière ce front droit, cette masse neuronale qui s'est développée au cours des millénaires a permis les processus imaginaires. En effet, à partir d'un codage neuronal qui est imposé par l'expérience de l'environnement, si nous avons un système

nous permettant d'associer ces chaînes neuronales de façon
différente de celle qui nous a été imposée par cet environnement, associant, par exemple, la couleur d'un objet avec
le poids d'un autre, la forme d'un troisième, l'odeur d'un
quatrième, le goût d'un cinquième, nous sommes capables
de créer une structure qui n'existe pas dans le monde qui
nous entoure et qui sera une *structure imaginaire*. La seule
caractéristique humaine semble bien être cette possibilité
d'imaginer. Quand un homme du paléolithique a rencontré
un mammouth, il a bien compris qu'il ne faisait pas le
poids, et il a couru parce qu'il avait peur. Il est peut-être
tombé sur un silex et s'est entaillé le genou. Et seul,
l'homme a été capable de faire une hypothèse de travail,
c'est-à-dire d'associer ces expériences multiples en se disant
que son genou était plus fragile que le silex. Il fut le seul
animal à tailler des silex, de façon de plus en plus
perfectionnée, à les emmancher dans une branche d'arbre
et à passer à l'expérimentation, c'est-à-dire à aller à la
chasse avec cet outil et à s'apercevoir alors que sa survie,
son alimentation, donc finalement son plaisir étaient plus
facilement et plus efficacement obtenus. Depuis ses origines, il a toujours été un scientifique. Il a toujours procédé
par hypothèse de travail et expérimentation. Il en fut ainsi
pour la découverte du feu, celle de la voile, de la roue, du
licol, de l'agriculture et de l'élevage, de la machine à
vapeur et de la bombe atomique. La Science, c'est
l'homme.

Un enfant qui vient de naître ne peut rien imaginer parce
qu'il n'a rien appris et on conçoit que, plus le système
nerveux aura appris, mémorisé d'éléments, plus l'imagination risque d'être riche, à la condition que le matériel sur
lequel vont travailler les systèmes associatifs ne soit pas
enfermé dans la prison d'automatismes acquis, c'est-à-dire
que l'homme sache utiliser la caractéristique qui en fait un
homme, ses systèmes associatifs et son imaginaire.

Le langage

Depuis quinze à vingt mille ans environ, une région du cortex gauche chez les droitiers a pris une importance de plus en plus considérable : ce sont les zones de Wernick, de Broca ; ce sont les zones qui permettent le *langage*. Certes, les animaux savent communiquer entre eux, ils possèdent un certain langage. Mais celui qui est propre à l'homme, le langage parlé, puis écrit, régi par une grammaire et une syntaxe, n'a sans doute vu son épanouissement que depuis quinze à vingt mille ans, lorsque sa créativité lui a permis d'inventer des outils variés, de développer par rapport à son environnement des fonctions également variées. Un besoin s'est alors fait sentir de communiquer entre ces différentes fonctions humaines, comme précédemment la spécialisation cellulaire avait exigé, pour qu'un organisme travaille comme un tout cohérent, l'apparition d'une information circulante. C'est en cela que l'on peut rapprocher les hormones du langage. Au paléolithique, la seule différenciation, semble-t-il, qui ait existé, entre les fonctions attribuées aux êtres humains était la différenciation sexuelle. Leroi-Gourhan dit qu'à cette époque « qui allait à la chasse gagnait sa classe ». On imagine en effet difficilement une femme largement enceinte, suivie d'une ribambelle de marmots, car du fait de l'insuffisance de l'hygiène infantile, il fallait en faire beaucoup pour qu'en survivent quelques-uns, comme cela se passe encore dans de nombreux pays dits sous-développés, on imagine difficilement donc cette femme allant à la chasse pour assurer l'alimentation du clan. Ce sont les hommes qui se chargèrent, du fait de leur force musculaire, de ce travail, et la femme fut sans doute reléguée au foyer. Il fallait bien que quelqu'un restât à la caverne pour alimenter le feu. Les vestales sont des déesses et Vulcain n'est apparu qu'avec la forge et l'industrie des métaux. Aussi est-ce vraisemblablement les femmes qui découvrirent la possibilité, en plantant des graines, d'assurer l'alimentation en grains et qui découvrirent également, sans doute en confisquant à leur mère de jeunes animaux et en les apprivoisant, qu'il était possible de conserver de la viande sur pied. En d'autres termes, ce sont vraisemblablement les femmes qui découvrirent l'agriculture et l'élevage. Ce sont d'ailleurs, là encore, des déesses qui représentent et protègent ces fonctions, déesses qui sont généralement liées à la fécondité. L'agriculture et l'élevage permirent le passage du paléo- au néolithique. Nous verrons que, avec la sédentarisation des groupes humains, il en est résulté la notion de propriété qui n'était pas innée mais fut apprise à cette époque. Elle transforma le comportement, et nous vivons encore, sans nous en rendre compte, sur ces apprentissages culturels qui remontent à dix ou douze mille ans. Mais la spécialisation fonctionnelle des individus d'un groupe, spécialisation qui permit une augmentation de la productivité, fut certainement un élément important du développement du langage. Il permit de maintenir la cohésion entre les différents artisans du groupe mais aussi d'informer, de génération en génération, les nouveaux venus de l'expérience acquise par leurs anciens. On passa ainsi, dans l'expression, du signe au *symbole*. Jusque-là, on peut dire que le signe pouvait être représentatif d'un seul objet et qu'un objet n'était représenté que par un seul signe. La relation était bi-univoque. Mais à partir du moment où le signe s'inscrit dans un ensemble complexe permettant de transmettre l'expérience qu'un individu possède de son environnement à d'autres individus, chacun de ceux-ci étant situé dans un espace et un temps différents, chacun étant un être unique, doué d'une expérience du monde également unique, le langage, signifiant support de toute sémantique qui lui est propre, n'exprime plus l'objet seulement mais l'affectivité liant celui qui s'exprime à cet objet. L'homme est passé ainsi de la description significative au concept lui permettant de s'éloigner de plus en plus de l'objet et de manipuler des idées à travers les mots, sans être vraiment conscient de ce qui animait sa pensée, à savoir ses pulsions, ses affects, ses automatismes acquis et ses cultures antérieures. Ainsi, en croyant qu'il exprimait toujours des faits qu'il appelle objectifs, il ne s'est pas rendu compte qu'il ne faisait qu'exprimer toute la soupe inconsciente dont ses voies neuronales s'étaient remplies depuis sa naissance, grâce à l'enrichissement culturel, c'est-à-dire à ce que les autres, les morts et les vivants, avaient pu coder dans ces voies neuronales. La Science a bien essayé de plus en plus précisément, au cours des millénaires, de revenir à une description précise du monde en décidant que tel objet ou tel ensemble n'était représenté que par tel signe et par lui seul ; ce qui lui permet d'écrire des protocoles que tout le monde peut reproduire en retrouvant généralement le même résultat. Mais ceci n'a été possible, jusqu'à une date récente, qu'en ce qui concerne le monde inanimé, celui vers lequel le regard de l'homme s'est d'abord tourné, celui qui semblait le plus inquiétant et le moins compréhensible, alors que la clarté limpide de son discours logique lui faisait croire que le monde qui vivait en lui ne pouvait avoir de secret. Plus récemment, on fit une distinction entre le rationnel et l'irrationnel. Le premier ne fait généralement que valoriser l'expression d'une causalité linéaire enfantine, alors que le second est respecté comme ce qui, chez l'homme, ne peut être réduit aux lois de la matière. Malheureusement, cet irrationnel est parfaitement rationnel au niveau d'organisation de la biochimie et de la neurophysiologie du cerveau humain, s'il ne l'est pas à celui du discours logique. C'est ainsi que le rêve est parfaitement rationnel mais que nous n'en connaissons pas encore suffisamment bien les mécanismes. Ce sont pourtant la biochimie et la neurophysiologie qui nous ont récemment fait faire quelque progrès dans sa compréhension plus que tous les discours antérieurs élaborés à son sujet.

La différenciation fonctionnelle interhémisphérique

Nous avons dit que les zones permettant le langage humain étaient chez les droitiers, cas le plus fréquent, situées au niveau de l'hémisphère gauche. On s'est aperçu depuis quelques années, à la suite de travaux de nombreux neurophysiologistes, parmi lesquels il faut citer particulièrement le nom de Sperry, que les deux hémisphères du cerveau humain assumaient des fonctions différentes. Le cerveau droit qui semblait jusqu'à il y a quelques années pratiquement inutile, puisqu'il ne permettait pas à l'homme de parler, a été reconnu avoir des activités indispensables. C'est le cerveau qui permet l'appréhension de l'espace, la synthèse globalisante, c'est aussi le cerveau de la musique, mais de la musique, je dirais, spontanée, celle qui n'a pas besoin pour s'exprimer de la connaissance du solfège ou de l'étude du contrepoint et de la fugue. Le cerveau gauche, au contraire, est celui de l'analyse linéaire, des fonctions causales, de la parole, des mathématiques. Et on s'aperçoit que, dans les civilisations occidentales, celles qui sont situées autour du 45ᵉ parallèle dans l'hémisphère nord — et nous aurons plus tard à dire pourquoi —, ce sont les fonctions de cet hémisphère gauche qui ont été particulièrement développées dès l'enfance. La raison en est d'ailleurs évidente, car c'est grâce à l'activité de cet hémisphère gauche que les mathématiques et la physique ont permis, au cours des siècles, à l'homme, de prendre possession du monde matériel par la connaissance de plus en plus précise qu'il en avait. Dès la plus tendre enfance, en particulier dans la civilisation occidentale, on a donc châtré le fonctionnement de l'hémisphère droit, obligeant l'enfant à apprendre sa table de multiplication et à résoudre son problème de robinets, en jugeant ce qu'on appelle l' « intelligence » d'un homme, donc en assurant sa réussite sociale, sur la façon dont il utilisait ensuite l'activité de cet hémisphère gauche. Cela d'autant plus que les connaissances de physique et de mathématiques permirent de déboucher sur une civilisation dite industrielle, c'est-à-dire de construire des machines faisant beaucoup d'objets, de marchandises en peu de temps. Cette possibilité d'assurer la dominance des individus, des groupes et des Etats, aujourd'hui même des groupes d'Etats, par cette productivité en marchandises évolua parallèlement à l'invention et à la production d'armes de plus en plus efficaces permettant d'imposer au besoin cette dominance aux ethnies n'ayant pas atteint ce niveau d'abstraction dans une information qui, jusqu'ici, n'est toujours que professionnelle. Il n'était peut-être pas inintéressant de rappeler ce schéma historique et, avant d'aborder le problème de l'agressivité et de la violence, de dire comment sont nées et ont été acquises par l'homme, du fait d'un apprentissage lié à l'espace géoclimatique dans lequel se sont trouvées incluses certaines ethnies, des notions aussi suspectes que celles de propriété, d'intelligence, de dominance, par exemple, et sur lesquelles nous aurons à revenir en les développant dans les chapitres qui vont suivre.

BASES NEUROPHYSIOLOGIQUES
ET BIOCHIMIQUES
DES COMPORTEMENTS FONDAMENTAUX

Chez l'animal et chez l'homme, nous retrouvons un comportement pulsionnel, tendant à satisfaire les besoins biologiques endogènes. Si ce comportement de « consommation », dont l'origine est une stimulation hypothalamique résultant d'un déséquilibre du milieu intérieur, est récompensé, c'est-à-dire si ce comportement aboutit à l'assouvissement du besoin, le souvenir qui en est conservé permettra le renouvellement, on dit le « réenforcement » de la stratégie comportementale utilisée. Les faisceaux qui sont mis en jeu dans un tel comportement unissent un certain nombre d'aires cérébrales. Le plus important est appelé par les Anglo-Saxons le « median forebrain bundle » (MFB), et nous l'appellerons le « faisceau de la récompense ». Nous en connaissons les médiateurs chimiques, qui sont essentiellement ceux qu'on appelle les catécholamines : dopamine et noradrénaline. Ce faisceau met en jeu un système de mémorisation dont nous avons déjà envisagé succinctement les mécanismes biochimiques. Si l'action par contre n'est pas récompensée, ou si elle est punie, le comportement est alors celui de la fuite, puis, si la fuite est inefficace, insuffisante à protéger, à délivrer l'individu du danger, celui de la lutte. Il s'agit alors d'une *agressivité défensive*, en réponse à une stimulation dite « nociceptive ». Ce comportement met en jeu lui aussi les différents étages cérébraux que nous avons décrits, grâce à un ensemble de voies appelé le « periventricular system » (PVS). Ce système fait appel comme médiateur chimique à l'acétylcholine, il est « cholinergique ». Par contre, si la fuite ou la lutte permettent d'éviter la punition et sont donc récompensées, si elles sont, en d'autres termes, efficaces, soit dans l'assouvissement de la pulsion endogène, soit dans la possibilité de soustraire l'individu à l'agression, elles peuvent être réenforcées, comme la précédente, par mémorisation de la stratégie utilisée et on revient alors à la mise en jeu du système de la récompense. Enfin, si le comportement n'est plus récompensé, ou s'il est puni, et si la fuite et la lutte s'avèrent inefficaces, un comportement d'inhibition, d'extinction d'un comportement appris survient. Ce système d'inhibition, que nous avons appelé « système inhibiteur de l'action » (SIA)[1] et à l'étude duquel nous sommes intéressé depuis une dizaine d'années, met en jeu un certain nombre d'aires cérébrales. Ce système a aussi comme médiateur chimique l'acétylcholine, mais également la sérotonine. Au fonctionnement de ces différentes aires et voies nerveuses centrales, sont associées des activités endocriniennes, parmi lesquelles nous retiendrons surtout celles impliquées dans ce que H. Selye[2] en 1936 a appelé le « syndrome d'alarme ». C'est l'ensemble hypothalamo-hypophyso-corticosurrénalien, sous la dépendance d'un facteur produit par l'hypothalamus et provoquant la libération par l'hypophyse de corticotrophine (ACTH). C'est le « corticotropin releasing factor » (CRF). L'ACTH déclenchera elle-même la sécrétion par la corticosurrénale de glucocorticoïdes. L'un d'eux, utilisé en thérapeutique dans des conditions bien particulières, est connu du grand public : c'est la « cortisone ». Or, nous savons

1. H. LABORIT (1974) : « Action et réaction. Mécanismes bio- et neurophysioiogiques », *Agressologie, 15,* 5, pp. 303-322.
2. H. SELYE (1936) : « A syndrome produced by diverse noxious agents », *Nature* (Londres), *138,* p. 32.

maintenant que l'hypothalamus est lui-même contrôlé par
le système nerveux central tout entier, dans ses rapports
fonctionnels avec l'environnement. Ainsi, l'ensemble de
l'équilibre endocrinien, et tout particulièrement celui mis en
jeu au cours de l'alarme, se trouve être sous la dépendance
du fonctionnement du système nerveux central, lequel
fonctionnement dépend lui-même des rapports de l'individu avec son environnement, son environnement social en
particulier (fig. 2).

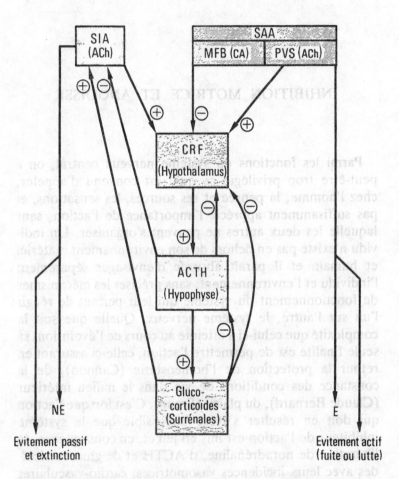

Fig. 2 : *Rétroactions négatives dans le système hypothalamo-hypophyso-surrénal (système régulé) et son contrôle par le système nerveux comportemental en réponse à l'environnement (servomécanisme).* (Tiré de H. LABORIT, *Ressuscitation,* 1976, **5,** p. 27.)

INHIBITION MOTRICE ET ANGOISSE

Parmi les fonctions du système nerveux central, on a peut-être trop privilégié ce qu'il est convenu d'appeler, chez l'homme, la pensée et ses sources, les sensations, et pas suffisamment apprécié l'importance de l'action, sans laquelle les deux autres ne peuvent s'organiser. Un individu n'existe pas en dehors de son environnement matériel et humain et il paraît absurde d'envisager séparément l'individu et l'environnement, sans préciser les mécanismes de fonctionnement du système qui leur permet de réagir l'un sur l'autre, le système nerveux. Quelle que soit la complexité que celui-ci a atteinte au cours de l'évolution, sa seule finalité est de permettre l'action, celle-ci assurant en retour la protection de l'homéostasie (Cannon), de la constance des conditions de vie dans le milieu intérieur (Claude Bernard), du plaisir (Freud). C'est lorsque l'action qui doit en résulter s'avère impossible que le système inhibiteur de l'action est mis en jeu et, en conséquence, la libération de noradrénaline, d'ACTH et de glucocorticoïdes avec leurs incidences vasomotrices, cardio-vasculaires et métaboliques, périphériques et centrales. Alors naît l'*angoisse*. Nous allons d'abord très succinctement rappeler comment, depuis quelques années, nous avons pu établir les rapports existant entre les affections somatiques, et plus largement toute la pathologie générale, et la mise en jeu du système inhibiteur de l'action à travers la mobilisation du système vasculaire et du système endocrinien.

Il est, pour nous, de plus en plus évident, et cette notion commence à trouver des supports également dans les travaux anglo-saxons, que l'inhibition de l'action englobe l'ensemble des facteurs qui vont être à l'origine de l'ensemble des désordres qui constituent ce qu'on appelle l' « *état pathologique* ». En effet, nous venons de voir que la corticosurrénale sécrète des glucocorticoïdes sous l'action d'un facteur hypophysaire, dit ACTH (hormone adréno-corticotrope), lui-même libéré par l'hypophyse, sous l'action d'un facteur hypothalamique, le CRF (corticotropin releasing factor). Or, celui-ci est libéré dans deux situations comportementales : la première, c'est lorsque le PVS est mis en jeu et que la fuite ou la lutte sont nécessaires pour conserver la structure vivante et la seconde dans une autre situation, lorsque le système inhibiteur de l'action est mis en jeu. Mais dans le premier cas, l'ACTH libérée, avant même de provoquer la sécrétion des glucocorticoïdes, agira sur l'activité du système nerveux en augmentant son incidence sur le fonctionnement moteur[1]. L'ACTH va donc faciliter la fuite ou la lutte. Elle participe au fonctionnement de ce que nous avons appelé le système activateur de l'action (SAA) dont fait également partie le système de la récompense.

Si la fuite ou la lutte, nous l'avons vu, sont efficaces, les glucocorticoïdes vont stimuler le système inhibiteur de l'action qui mettra fin à l'action, laquelle action était efficace. Les ennuis ne commencent que lorsque l'action s'avère inefficace, car alors le système inhibiteur de l'action va provoquer l'apparition d'une rétroaction positive en tendance, autrement dit d'un cercle vicieux. Ce système inhibiteur de l'action commandant par cascades successives

---

1. Il vient même d'être récemment montré (1982) que le CRF lui-même augmente l'activité locomotrice.

la libération de glucocorticoïdes, ce qui ne peut encore que le stimuler. On ne peut donc sortir de ce cercle vicieux que par l'action dite « gratifiante », celle qui permet de rétablir l'équilibre interne et de fuir la punition. Il peut paraître curieux qu'après avoir insisté sur le fait qu'un système nerveux ne sert qu'à agir, nous signalions la présence dans l'organisation de ce système d'un ensemble de voies et d'aires aboutissant à l'inhibition de l'activité motrice. Cependant, ce système est malgré tout adaptatif, car dans certaines situations, mieux vaut ne pas réagir qu'être détruit par un agresseur mieux armé. L'ennui est que, si ce système d'évitement, permettant la conservation momentanée de la structure, n'est pas immédiatement efficace, si sa stimulation se prolonge, les remaniements biologiques résultant de son fonctionnement vont être à l'origine de toute la pathologie.

En effet, il existe un glucocorticoïde que tout le monde connaît, c'est l'hydrocortisone. Elle est utilisée en thérapeutique dans des cas bien précis, qui entrent généralement dans le cadre de ce que l'on appelle les maladies auto-immunes. Il s'agit d'affections dans lesquelles le système immunitaire n'est plus capable de reconnaître les propres protéines de l'organisme dans lequel il fonctionne et cette ignorance lui fait détruire des éléments parfaitement utiles et dont la disparition va être à l'origine d'affections diverses, le plus souvent chroniques, parmi lesquelles les arthroses sont l'exemple le plus courant. Mais les glucocorticoïdes sont extrêmement dangereux par ailleurs ; en effet, tout médecin qui prescrit de la cortisone sait bien qu'il doit en même temps prescrire des antibiotiques. Pourquoi ? Parce que les glucocorticoïdes détruisent le thymus, glande qui est à l'origine de la libération des lymphocytes T, et favorisent la destruction ou l'inhibition d'autres cellules indispensables à l'activité immunitaire. Avec un système immunitaire déficient, sous l'action des glucocorticoïdes, l'organisme devient extrêmement fragile à l'égard de toutes les infections. De même, prennent naissance dans notre organisme des cellules non conformes, cellules néoplasiques qu'un système immunitaire efficace détruira au fur et à mesure de leur formation. Un système immunitaire inefficace en permettra la prolifération et autorisera donc l'évolution d'un cancer. Ainsi, on ne fait pas une maladie infectieuse et on n'est pas atteint d'une maladie tumorale au hasard, et la sécrétion par les surrénales d'une quantité démesurée de glucocorticoïdes fragilisera l'organisme dont la défense immunitaire se trouve paralysée.

De nombreux faits expérimentaux sont venus au cours de ces dernières années confirmer notre hypothèse. Il n'y a pas pour nous une « cause » au cancer, mais de multiples facteurs agissant à différents niveaux d'organisation, le dernier étant celui des rapports de l'individu avec sa niche environnementale. Or, ces glucocorticoïdes, nous le savons maintenant, peuvent être libérés de façon chronique et trop importante, parce que le système inhibiteur de l'action est lui-même stimulé de façon chronique par l'impossibilité de résoudre dans l'action un problème comportemental. On a pu montrer récemment que chez les rats placés dans une situation d'inhibition de l'action, une souche tumorale injectée prend et se développe dans un nombre considérable de cas, alors que chez l'animal en situation d'évitement actif possible ou de lutte, la souche ne prend que dans un nombre très restreint de cas. Ce n'est pas tout. Les glucocorticoïdes, comme les minéralo-glucocorticoïdes, retiennent aussi de l'eau et des sels. La masse des liquides extracellulaires va donc augmenter, tout comme la masse sanguine. Mais nous avons pu montrer que le système inhibiteur de l'action libérait également, à la terminaison des fibres sympathiques innervant les vaisseaux de l'organisme, de la noradrénaline. Celle-ci possède la propriété de provoquer une diminution du calibre (vasoconstriction) de tous les vaisseaux. Dans un système circulaire à la capacité diminuée, une masse sanguine accrue va se trouver à l'étroit ; il en résultera une pression supérieure à la surface interne de celui-ci. Il s'agit d'une hypertension artérielle, avec ses conséquences multiples telles qu'hémorragie cérébrale, infarctus viscéraux, infarctus myocardiques.

Il y a là, à notre avis, une autre différence avec la mise en jeu du système de la punition (PVS), qui, lorsque l'action est efficace, entraîne une mobilisation de l'organisme dans l'espace. Sa mise en jeu s'accompagne d'une libération d'adrénaline. L'adrénaline, à la différence de la noradrénaline, ne provoque une vasoconstriction qu'au niveau des vaisseaux cutanés et des vaisseaux de l'abdomen, réservant ainsi une masse de sang plus importante pour l'alimentation et l'évacuation des déchets des organes ayant, dans la fuite et la lutte, à fournir un travail supplémentaire : les muscles squelettiques, les vaisseaux pulmonaires, le cœur et le cerveau, ces derniers devant assurer l'approvisionnement d'un organe qui va permettre la mise en alerte, l'appréciation du danger et la stratégie à lui oppposer. C'est la neurohormone de la *peur,* qui aboutit à l'action, fuite ou agressivité défensive, alors que la noradrénaline est celle de l'attente en tension, *l'angoisse,* résultant de l'impossibilité de contrôler activement l'environnement.

Les glucocorticoïdes vont aussi provoquer ce que l'on appelle un catabolisme protéique, c'est-à-dire détruire les protéines, éléments fondamentaux des structures vivantes. Le sommeil s'accompagne d'une restructuration protéique neuronale, les neurones au cours de leur activité ayant évolué vers un certain désordre moléculaire, qu'il s'agit de faire disparaître. Ainsi, en inhibition de l'action, le sommeil réparateur sera rendu plus difficile. On s'est aperçu d'ailleurs que l'injection d'un glucocorticoïde supprime le sommeil paradoxal chez l'animal. En inhibition de l'action, dans l'attente en tension, l'individu se trouvera donc insomniaque et fatigué. Depuis quelques années, on a pu mettre en évidence dans la majorité des états dépressifs une concentration élevée, anormale des glucocorticoïdes sanguins, à tel point que l'injection d'un glucocorticoïde de synthèse, la dexaméthasone, qui, chez l'individu normal, inhibe la libération d'ACTH et rétablit la cortisolémie à la normale, ne sera plus capable de le faire chez un individu déprimé, ce qui constitue un test relativement simple du diagnostic. Par ailleurs, du fait de mécanismes complexes sur lesquels nous ne pouvons pas insister, on sait que les glucocorticoïdes participent également à l'apparition d'ulcères à l'estomac et d'autres affections dites « psychosomatiques » et qu'il serait préférable d'appeler d' « inhibition comportementale ». Enfin, si l'*angoissé* « attend en tension » avec l'espoir encore de pouvoir agir, le *déprimé,* lui, paraît avoir perdu cet espoir. Il faut noter que nous décrivons facilement nos sentiments par des périphrases qui expriment des variations du tonus vasomoteur ou musculaire : être pâle, être blême, ou glacé d'effroi, avoir les jambes coupées, sentir son cœur battre violemment, être rose de bonheur, avoir le souffle coupé. Cela tendrait à montrer que nous ne sommes conscients de nos affects et de leurs mécanismes centraux que par les effets périphériques qui en résultent. C'est pourquoi, il y a plus de trente ans, quand, pour la première fois, nous introduisîmes les neuroleptiques en thérapeutique, et en particulier la chlorpromazine, nous fûmes étonnés de constater que nos malades conscients se montraient indifférents aux événements qui se passaient dans leur environnement immédiat. Ils étaient « déconnectés », disions-nous. C'est cet état qui fut appelé par la suite « ataraxie ». C'est à partir de cette époque que la neuropsychopharmacologie prit son essor et maintenant nous avons à notre disposition tout un arsenal de molécules chimiques capables d'influencer le fonctionnement cérébral et de transformer des affects normaux ou perturbés et les comportements qui les expriment. Or, ces neuroleptiques dépriment les réactions vasomotrices et endocriniennes centrales et périphériques aux événements survenant dans le milieu.

LES PRINCIPAUX MÉCANISMES
DE L'INHIBITION DE L'ACTION
ET DE L'ANGOISSE

L'étage le plus primitif du cerveau, cerveau appelé reptilien par Mac Lean, va être le contrôleur de notre équilibre biologique. Il va nous pousser à agir immédiatement, en présence d'une perturbation interne, combinée à une stimulation provenant de l'environnement. C'est le cerveau du présent. Il contrôle immédiatement notre bien-être, c'est-à-dire le maintien de la structure de l'ensemble cellulaire que constitue un organisme. Le cerveau des mammifères qui vient se superposer au précédent, nous avons vu qu'il était le cerveau de la mémoire, de l'apprentissage. Et déjà, on comprend que puisque cette mémoire va nous faire nous souvenir des expériences agréables ou désagréables, des récompenses ou des punitions, il risque de s'opposer fréquemment à l'activité du premier. C'est ainsi que, lorsque les pulsions à agir pour nous faire plaisir vont, dans nos systèmes neuronaux, trouver l'opposition, l'antagonisme de voies codées par l'apprentissage, c'est-à-dire par la socioculture, nous interdisant d'agir, l'inhibition de l'action qui va en résulter sera à l'origine des perturbations biologiques dont nous avons déjà parlé. Lorsque ce conflit neuronal va déboucher sur le troisième étage, étage cortical, et devenir conscient non pas de ces mécanismes nerveux, mais des problèmes qui sont non résolus et qui sont à son origine, il peut en résulter une souffrance telle

que le problème sera, suivant l'expression psychanalytique,
« *refoulé* ».

La pulsion, d'une part, l'interdit, d'autre part, n'en sont
pas moins là et continueront à parcourir les voies neuronales en dehors du champ de conscience et les conséquences
qui en résulteront vont être aussi bien somatiques que
comportementales, autrement dit psychiques. C'est là un
premier mécanisme de l'inhibition de l'action, qui est très
souvent rencontré. Un autre fait appel à ce que nous
appelons le déficit informationnel et survient lorsque, à
l'occasion d'un événement qui n'a pas encore été classé
dans notre répertoire comme étant agréable ou au
contraire douloureux, nous ne pouvons pas agir en conséquence de façon efficace et sommes dans une attente en
tension.

A l'opposé, l'abondance des informations, si l'on voit
qu'il est impossible de les classer suivant un système de
jugements de valeur, met également l'individu dans une
situation d'inhibition. Il faut reconnaître que notre civilisation contemporaine au sein de laquelle les informations se
multiplient grâce aux moyens modernes de communication, les mass media en particulier, et par la vitesse de ces
communications à travers le monde, place l'individu dans
une situation où le plus souvent il ne peut agir sur son
environnement pour le contrôler. Les paysans vendéens de
mon enfance qui n'allaient à la ville, pour certains, que
trois fois au cours d'une vie, ville pourtant qui n'était située
qu'à trente-cinq kilomètres, avaient des sources d'information qui ne leur venaient pratiquement que de leur environnement immédiat. Pas de journaux, pas de télévision, pas
de radio. Bien sûr, il existait des événements que l'on
pouvait craindre, les mauvaises récoltes, les épidémies. Il
n'en demeure pas moins que chaque individu avait l'impression de pouvoir contrôler par son action sa niche
environnementale. Ce n'est plus le cas aujourd'hui et
quand on diffuse à la télévision les atrocités qui apparais-

sent à travers le monde, quand on voit un enfant du Biafra en train de mourir de faim, squelettique et couvert de mouches, malgré l'intérêt très limité que peut représenter cet enfant pour un homme bien nourri du monde occidental, cet homme ne peut s'empêcher de se représenter inconsciemment que ce qui est possible pour certains hommes défavorisés pourrait peut-être le devenir aussi un jour pour lui, et il ne peut rien faire. C'est en cela que les préjugés, les lieux communs, les jugements de valeur, le militantisme, les idéologies et les religions ont une valeur thérapeutique certaine car ils fournissent à l'homme désemparé un règlement de manœuvre qui lui évite de réfléchir, classe les informations qui l'atteignent dans un cadre préconçu et mieux encore, lorsque l'information n'entre pas dans ce cadre, elles ne sont pas signifiantes pour lui, en quelque sorte, il ne les entend pas. Il est prêt, en d'autres termes, à sacrifier sa vie pour supprimer son angoisse ou si l'on veut il préfère éprouver la peur, débouchant sur l'action, que l'angoisse. Il est même à noter que la peur ne l'envahit que les courts instants qui précèdent l'action. Dès qu'il agit, il n'a plus peur, et il le sait bien.

Mais il existe aussi des mécanismes proprement humains que nous devons à l'existence, dans notre espèce, des lobes orbito-frontaux, c'est-à-dire de l'imaginaire. Nous sommes en effet capables d'imaginer la survenue d'un événement douloureux, qui ne se produira peut-être jamais, mais nous craignons qu'il ne survienne. Quand il n'est pas là, nous ne pouvons pas agir, nous sommes dans l'attente en tension, en inhibition de l'action, nous sommes donc angoissés. L'angoisse du nucléaire appartient à ce type, par exemple. Enfin, dans ce cadre, il existe une cause d'angoisse proprement humaine : l'angoisse de la mort. L'homme est sans doute la seule espèce dans laquelle l'individu sait qu'il doit mourir. C'est sans doute aussi la seule espèce qui sache qu'elle existe en tant qu'espèce et où chaque individu sait

appartenir à cette espèce. Les abeilles du Texas ne savent
pas qu'il existe des abeilles en Chine ou dans le Périgord.
L'homme sait qu'il existe des hommes en toutes les régions
du globe et il sait qu'ils sont pareils à lui. Il sait que tous ces
hommes doivent mourir et qu'il est un homme.

Et la mort rassemble la majorité des mécanismes que
nous venons de signaler en un seul, le déficit informationnel : nous ne savons pas quand cet événement va survenir,
nous ne savons pas si la mort est douloureuse, nous ne
savons pas s'il existe quelque chose après. Nous imaginons
ce qu'elle peut être et ce qu'elle n'est peut-être pas, et
vraiment nous ne pouvons rien contre elle. On conçoit que
c'est peut-être l'angoisse la plus profonde qui fait que
l'homme est homme. On a dit que l'angoisse de l'homme
était celle de sa liberté. Ne pourrait-on pas dire plutôt
qu'elle est celle de son ignorance et de la conscience de
cette ignorance. C'est sans doute pourquoi il n'y a pas de
moteur plus puissant à la recherche et à la découverte des
grandes lois fondamentales du monde qui nous entoure et
de celui qui nous habite, que cette angoisse de la mort.
C'est elle qui anime les grands créateurs. Mais on comprend aussi pourquoi les civilisations productivistes
essaient de l'occulter, car le créateur animé par l'angoisse
de la mort ne peut pas être un bon producteur d'objets
marchands. Aussi tous les moyens sont-ils bons pour
occulter cette angoisse de la mort, d'autant que ces moyens
deviennent eux-mêmes rapidement aussi des marchandises.
N'est-ce pas, comme l'a dit Einstein, cette angoisse cosmique qui pousse certains individus à tenter de mieux se situer
et se mieux comprendre dans l'univers et au milieu des
autres hommes ?

LES MOYENS D'ÉVITER
L'INHIBITION DE L'ACTION

La majorité des mécanismes que nous venons d'envisager se passe dans ce qu'il est convenu d'appeler l'inconscient. Mais il faut tout de suite préciser que, pour nous, l'inconscient ne se résume pas à ce qui est « refoulé ». Nous avons vu, il y a un instant, que ce dernier n'est refoulé que parce que trop douloureux à supporter s'il devait être maintenu sur le plan de la conscience. Mais en réalité, l'inconscient est tout ce qui forme une personnalité humaine. Ce sont tous les automatismes qui peuplent nos voies neuronales depuis notre naissance et peut-être avant, et qui nous viennent de nos apprentissages culturels. L'enfant qui vient de naître ne sait ni marcher ni parler et nous avons vu qu'il faudra qu'il apprenne à marcher, à parler ; avec le langage, nous avons vu aussi qu'il va parcourir en quelques mois, ou quelques années, l'apprentissage des générations qui l'ont précédé, depuis que quelque chose qui ressemble à l'homme est apparu sur la planète. Mais ce qu'il apprendra, ce qui sera transmis à travers les générations sera très spécifique d'une époque et d'une région. On comprend également que ce qu'il apprendra peut, dans certains cas, lui être utile en tant qu'individu mais sera d'abord utile au maintien de la cohésion du groupe humain auquel il appartient. D'autre part, la finalité de l'individu qui réside dans le maintien de sa structure, la recherche de son plaisir en d'autres termes, n'est pas celle du groupe social dans lequel il est plongé, qui a sa propre finalité, celle de maintenir aussi sa structure et on conçoit que des antagonismes, des conflits vont apparaître au sein du système nerveux individuel, venant de ses pulsions ne pouvant se résoudre par une action, du fait de l'existence d'interdits sociaux. Or, tous ces automatismes se passent dans l'inconscient et dans l'ignorance pour l'individu des mécanismes qui les gouvernent. Ces automatismes sont pourtant indispensables à rendre efficace l'action, et nous ne pourrions pas vivre sans l'acquisition progressive de ces automatismes. Mais faut-il encore savoir que ce sont des automatismes.

Un pianiste de concert va répéter pendant des semaines et parfois des mois un trait particulièrement difficile et dont il a conscience de la difficulté. Certes, il n'est pas conscient de l'ensemble incroyable d'influx nerveux qui, de régions variées de son système nerveux central, vont s'épanouir au niveau de son système musculaire et en particulier de ses doigts. Et que va-t-il faire en répétant inlassablement ce trait ? Il va créer dans son système nerveux des automatismes, des automatismes moteurs, de telle façon qu'il n'a plus à y penser. Lorsqu'il est parfaitement automatisé, il est tout aussi conscient qu'il l'était au début où il était incapable de jouer ce passage de la partition sans faute. Mais n'ayant plus à s'occuper de la difficulté, dès lors résolue, sa conscience va pouvoir s'adresser à une sonorité, par exemple, lui permettant d'exprimer sa propre affectivité à travers celle de l'auteur qu'il interprète. A aucun moment il n'a été inconscient, mais son niveau de conscience a changé et s'est enrichi d'une série terriblement complexe d'automatismes. Et cela se produit non seulement en musique mais dans tous les arts, poésie, peinture, sculpture, danse, dans la science où les techniques sont indispensables ainsi que dans les métiers. Ce sont d'ailleurs ces automatismes acquis que l'on appelle le « métier ». Si l'on s'arrête au métier, aux automatismes acquis, grâce à un travail acharné et à une bonne mémoire, on ne devient jamais un créateur mais un exécutant. Bien plus, ces automatismes peuplent le système nerveux de tout homme et l'on peut dire que plus ils sont nombreux et variés, plus cet homme sera capable de créer puisqu'il a à sa disposition un matériel d'apprentissage plus riche et plus varié. Mais encore faut-il qu'il ne reste pas enfermé dans ses automatismes et que ce qui fait de lui un homme, à savoir ses systèmes associatifs, puisse fonctionner et utiliser, dans la création de nouveaux ensembles, les voies neuronales codées par l'expérience. Ces notions sont relativement faciles à admettre quand il s'agit d'un métier. Elles sont beaucoup plus difficiles à accepter lorsque l'on affirme que ces automatismes constituent l'ensemble de nos jugements, de nos concepts, de nos valeurs. D'autant plus que la conscience de leur origine et de leur mécanisme, de leur existence même, est couverte par un discours logique, qui, lui, est conscient.

Il faut pourtant noter que le langage est, pour une très grande part, inconscient. Nous ne sommes pas conscients de la façon dont nous associons, suivant les règles bien précises, syntaxiques et grammaticales, des phonèmes, des monènes, dans une sentence, qui doit elle-même être le support d'une sémantique, d'une information. Et nous sommes encore moins conscients que, ce faisant, nous ne faisons qu'exprimer nos automatismes conceptuels, langagiers, nos jugements de valeur, nos préjugés, tout ce qui a été mis, depuis notre naissance, dans notre cerveau, par punitions ou récompenses, et que nous mobilisons chaque fois que nous voulons exprimer quelque chose. Ainsi sans le savoir, en apprenant à parler, un enfant apprend à exprimer « objectivement » les préjugés, les jugements de valeur, ses désirs inassouvis, tout ce qui fait la caractéristique d'un homme plongé dans la culture d'un lieu et d'une époque. En d'autres termes, on peut dire que le contenu du discours est moins important à connaître, à comprendre, que ce qui l'anime, ce qui le fait prononcer. Et ce qui anime un discours est unique, est propre à chaque homme qui le prononce, il est particulier à son expérience personnelle du monde, depuis sa naissance, et peut-être avant. Un père et un fils, utilisant le même langage, ne peuvent plus se comprendre souvent, parce que l'expérience qu'ils ont des mots s'est établie dans des époques différentes et parfois même dans des milieux différents. C'est là sans doute un des facteurs principaux des conflits de générations.

Le temps sociologique n'est pas le temps biologique de l'individu. Et le temps sociologique va plus vite que le temps biologique. Les structures sociologiques se transforment plus vite que les structures biologiques des individus. Ces notions résultent en grande partie des acquis techniques qui, depuis quelques décennies, ont évolué si vite et d'une façon si analytique que l'individu n'a pu les acquérir et se transformer avec eux. Or, nous savons maintenant qu'un individu va négocier la niche environnementale dans laquelle il est situé, à l'instant présent, avec tous ses apprentissages antérieurs, tous ses automatismes inconscients. Sans doute aura-t-il toujours une explication logique, un alibi, pour expliquer son action présente mais, en fait, ce qui va la déterminer c'est toute cette vie antérieure et peut-être tout particulièrement celle de ses premières années où nous avons vu qu'il ne sait pas encore qu'il est dans un milieu différent de lui. Cette période a laissé dans son système nerveux une « empreinte » dont il est parfaitement inconscient et qui ne sera par la suite que remodelée par ses apprentissages culturels successifs.

On conçoit, en passant, que les grands progrès de la médecine moderne, comme on dit, ne sont que les grands progrès de la médecine d'urgence. Nos connaissances fondamentales concernant les processus biologiques se sont considérablement enrichies au cours de ces dernières décennies et elles ont permis de mieux comprendre ce qu'est un être vivant et un homme en particulier. Mais sur le plan de la thérapeutique, nous voyons que nous ne pouvons nous adresser qu'à un individu malade, à un instant présent, et que sa maladie n'est que le résultat, en grande partie, de la façon dont il a réagi à son environnement présent, avec tout son acquis passé qui nous reste strictement inconnu. Enfin, comme, si nous voulions en prendre connaissance, nous devrions passer par l'intermédiaire du langage, un langage prononcé par l'individu qui ignore ce qu'il est, il est pratiquement impossible de faire une médecine s'adressant à l'étiologie sociale, historique de l'individu, et l'on doit se contenter d'une médecine étroite, empirique, du moment présent. Certes, avec les antibiotiques, beaucoup de maladies infectieuses ont disparu. Si j'avais une pneumonie, je serais content qu'on utilise de la pénicilline pour me traiter. De même, si j'étais atteint d'un ulcère perforé, j'aimerais qu'un chirurgien adroit et un anesthésiste compétent permettent l'ablation de l'ulcère et même de l'estomac où l'ulcère est apparu. Il m'éviterait ainsi la péritonite mortelle. Mais dans les deux cas, pris comme exemples, pourquoi ai-je fait une pneumonie et pourquoi ai-je fait un ulcère qui s'est perforé ? C'est parce que j'étais en inhibition de l'action. Or, les raisons qui font que j'étais en inhibition de l'action sont enfermées dans mon système nerveux, dans son histoire, dans ses automatismes inconscients. En d'autres termes, nous soignons au niveau d'organisation de l'individu les effets qui ont pris naissance aux niveaux d'organisation englobants, c'est-à-dire au niveau des groupes social, familial, professionnel ou d'une société globale, car nous négocions notre instant présent avec tout notre acquis mémorisé inconscient.

En résumé, nous voyons que si nous voulons éviter le refoulement, avec son cortège « psychosomatique », c'est-à-dire d'inhibition d'actes gratifiants, nous sommes limités à quelques actions que nous pouvons rapidement énumérer. La première c'est le *suicide*. C'est un acte d'agressivité

mais qui est toléré par la socioculture parce que d'abord ses
armes arrivent généralement trop tard pour l'interdire
lorsqu'il est réussi et que, d'autre part, il n'est dirigé que
vers une seule personne. La cohésion du groupe social s'en
trouve rarement compromise. Le suicide est un langage en
même temps qu'une action (le langage étant de toute façon
une action) mais, quand on ne peut se faire entendre, il
constitue une action assez définitive pour que parfois ce
langage soit entendu. Il facilite ou renforce parfois même
la cohésion du groupe dont il crie la détresse. Il y a aussi
l'*agressivité défensive*, sur laquelle nous aurons à revenir
tout à l'heure, qui est rarement efficace, mais qui en
restituant à l'action sa participation au bien-être permet,
dans son inefficacité même, de trouver une solution à des
problèmes insolubles. Il y a également un langage qui est
celui du *névrosé*. Pierre Jeannet a dit que c'était le
« langage du corps ». L'individu qui est pris dans un
système manichéen, qui se trouve placé devant un problème dont les éléments lui sont la plupart du temps
inconscients et qu'il ne peut résoudre dans l'action, va, par
un certain comportement, exprimer ce qu'il ne peut pas
dire. On a écrit que le névrosé manquait d'imagination et
que son comportement névrotique, qui trouve son expression la plus complète dans la crise hystérique, était un
moyen d'attirer l'attention des autres sur lui et sur ses
problèmes non résolus. Quand le névrosé a de l'imagination, il peut s'échapper sur un autre registre, celui de la
créativité qui lui permet souvent de tempérer sa névrose et
d'agir. Ce n'est déjà plus une lutte contre un environnement difficilement vivable pour lui, mais une fuite. Et la
fuite est généralement le comportement le plus souvent
adopté par le névrosé. Les moyens de fuite sont nombreux.
L'un d'eux qui est actuellement à la mode, c'est la
toxicomanie. Le toxicomane part en voyage, c'est son
« trip ». Il fuit une vie qui lui est désormais insupportable,
où ses problèmes inconscients, qu'il ne peut exprimer parce

qu'il ne les connaît pas, ne sont par perçus par ceux qui l'entourent et la société dans laquelle il est plongé. Le plaisir qu'il peut éprouver jusqu'à la mort est d'abord la fuite d'un monde invivable pour lui. Il faut savoir que la majorité des psychotogènes, en dehors de l'alcool, diminuent l'agressivité et c'est sans doute parce que beaucoup de jeunes actuellement se trouvent dans un monde où l'agressivité compétitive domine et qu'ils ne peuvent y participer qu'ils fuient dans un monde psychédélique qui leur apporte l'indifférence et la tranquillité, sans se rendre compte qu'ils sont alors enfermés dans la prison d'une tolérance et d'une dépendance par rapport aux toxiques dont il sera bien difficile de les faire sortir. Accoutumance et dépendance aussi lorsqu'il s'agit d'alcool, mais l'alcool est encore un toxique accepté par les sociocultures, car il augmente l'agressivité et ne provoque pas le plus souvent, sinon tardivement, un désintérêt pour le système productif. La criminalité d'une région ou d'un pays est souvent fonction de l'alcoolisme qu'on y trouve, lui-même fonction des conditions économiques et politiques. La misère favorise la fuite dans l'alcool, qui favorise la criminalité interindividuelle. Olivenstein a écrit qu'il n'y avait pas de toxicomane heureux ; mais n'était-il pas encore plus malheureux avant de le devenir ? Un autre moyen de fuite est la *psychose*. Avant de devenir dément, le chemin est souvent long, douloureux et difficile. Mais lorsque la démence est installée, que l'individu a fui dans son imaginaire, il est curieux de constater que l'équilibre biologique, antérieurement perturbé, se stabilise. Les statistiques mondiales semblent montrer que le nombre de cancers chez les délirants chroniques est extrêmement réduit par rapport à la population « normale ». Beaucoup d'observations montrent également que lorsque le personnel hospitalier est atteint par une épidémie de grippe par exemple, les vrais psychotiques passent à travers et cela ne serait pas pour nous étonner si l'on admet qu'ils ne sont

plus parmi nous, que leur relation avec l'environnement
social est réduite au minimum et que donc ils n'ont plus de
raison d'être inhibés dans leur action. On dit qu'ils délirent,
mais leur langage n'est plus pour eux un moyen de
communication (aliénant d'ailleurs par la rigueur de ses
règles). Il ne leur est plus utile puisque n'ayant pas été
entendus, ils n'ont plus à communiquer. Un dernier moyen
de fuite est la *créativité*. La possibilité de construire un
monde imaginaire dans lequel on peut arriver à vivre, que
ce monde soit celui d'un art ou d'une discipline scientifique, et nous devons constater que la barrière est bien
fragile entre la psychose et la créativité. Combien de grands
créateurs sont morts fous, incapables même à travers leur
création de supporter l'inhibition de l'action gratifiante
dans laquelle leur environnement social les obligeait à se
confiner ? Une étude statistique récente [1] semble mettre en
évidence un taux élevé de psychopathes chez les créateurs
reconnus, comparé à la population générale.

Des thérapeutiques empiriques ont, dans l'ignorance du
concept de l'inhibition de l'action, découvert des moyens
pour les individus inhibés d'agir. De nombreuses thérapeutiques utilisées par la psychologie moderne rendent au
cerveau droit la part que notre civilisation occidentale lui a
enlevée. Il en est ainsi du cri primal, des thérapeutiques de
groupe, des thérapeutiques d'expression corporelle, chacune d'entre elles ayant ses spécialistes, ses promoteurs, et
défendant avec acharnement la qualité de ses résultats.
Mais il faut reconnaître que, sans faire appel au psychologue, des thérapeutiques empiriques permettent de restituer
son rôle thérapeutique à l'action. Le jogging, la résurgence
du vélocipède, le sport en général, les défilés, accompagnés
ou non de cailloux dans les vitrines, de mise à mal de
quelques agents et de l'incendie de quelques voitures,

---

1. R. L. RICHARDS (1981) : « Relationship between creativity and psycho-
pathology : an evaluation and interpretation of the evidence », *Genet. Psychol,
Monogr.*, 103, 2, pp. 261-324.

permettent, dans un monde entièrement inhibé dans l'action gratifiante, de réaliser des actions qui, paraissant parfaitement inefficaces sur le plan sociologique car elles risquent peu de transformer l'ensemble des structures sociales, ont sans doute quelques mérites thérapeutiques sur le plan individuel. On peut craindre seulement que favorisant le retour à l'équilibre biologique individuel, elles ne favorisent du même coup la reconduction d'une société, dont la contestation ne peut venir que du « mal-être » qu'elle provoque. En ce sens, ce ne serait qu'une forme de « tranquillisants » non chimiques. D'autre part, en ce qui concerne les méthodes psychothérapeutiques, leur technique soi-disant « naturelle » leur donne, à l'égard d'esprits simples, un attrait et une crédibilité particulièrement puissants, à une époque de refus d'une technologie scientifique dite « déshumanisée ».

Beaucoup d'autres notions mériteraient d'être développées, l'une d'elles trouve cependant sa place ici. On oppose généralement l'évitement passif, c'est-à-dire le moyen par lequel l'animal évite une punition en inhibant son action, à l'évitement actif dans lequel l'animal évite la punition en se déplaçant, en réagissant en ou agissant sur le milieu. On considère donc l'évitement passif comme dépendant de la mise en jeu d'un système inhibiteur. Or, depuis quelques années, nous avons, pour les besoins de l'expérimentation, divisé les comportements animaux en quatre grandes attitudes : le comportement de consommation qui ne fait aucune difficulté, le comportement de fuite, c'est-à-dire d'évitement actif, celui dont nous parlions à l'instant, celui de lutte qui consiste à tenter de faire disparaître l' « objet de son ressentiment », et celui de l'inhibition de l'action. Nous avons même tendance aujourd'hui à considérer que dans ce dernier comportement, il existe deux attitudes : celle de l'attente en tension dans laquelle un espoir existe encore de pouvoir contrôler l'environnement (elle est à l'origine de l'anxiété), et celle de la dépression dans laquelle il y a un abandon de tout espoir. Or, en ce qui concerne l'évitement passif, il constitue bien un système de récompense puisqu'il permet d'éviter la punition, mais il constitue aussi un système de frustration puisqu'il ne réalise pas la pulsion, l'automatisme acquis ou le désir, qui était à l'origine de l'action. Or, il y a déjà plusieurs années, nous avons constaté que l'on pouvait provoquer, dans cent pour cent des cas, une hypertension artérielle stable, chez l'animal, lorsqu'on le place dans une situation d'inhibition de l'action, ce qui peut se réaliser, suivant l'expression des auteurs anglo-saxons, en le soumettant à un « unescapable shock » (un choc électrique plantaire inévitable). Si l'on utilise une chambre au plancher électrifié, d'un côté de laquelle on place une mangeoire avec des aliments, et de l'autre côté, à l'opposé, une plaque de liège sur laquelle on peut déposer l'animal, pour lui éviter le contact avec la plaque électrique, l'animal voyant qu'il existe de la nourriture va tenter de s'en approcher, mettre les pattes sur le grillage électrifié et recevoir une décharge électrique. Au bout de deux ou trois essais, il restera sur sa plaque de liège et s'endormira. Il est bien dans ce cas en inhibition de l'action, mais cependant au bout de cinq heures, on peut mesurer sa pression artérielle et constater qu'elle n'est pas augmentée. Or, si l'on place les animaux dans la même situation, mais après un jeûne de quarante-huit heures, ou même de soixante-douze heures, la situation n'est plus la même. La pulsion, le besoin à assouvir, c'est-à-dire la faim, est beaucoup plus puissante que dans le premier cas où l'animal avant l'expérience avait été retiré de sa cage dans laquelle il avait une alimentation « ad libitum ». En cas de jeûne, il va tenter de multiples essais qui seront tous punis par le choc plantaire, et après un laps de temps identique à celui où les précédents animaux, non à jeun, ne présentaient aucune hypertension artérielle, *alors que le jeûne par lui-même est hypotenseur,* dans ce dernier cas, au contraire, l'hypertension artérielle est apparue. Cela évidemment suggère que l'inhibition de l'action n'est préjudiciable pour l'équilibre biologique que lorsqu'il existe une *motivation suffisante* à agir. On aurait pu se douter effectivement de ce que l'on constate expérimentalement, à savoir que l'animal qui ne s'intéresse pas à un projet n'a aucune raison d'être en inhibition et il en est de même pour l'homme dans des conditions beaucoup plus variées, beaucoup plus riches évidemment que celles où est placé l'animal pour lequel on ne fait appel qu'à une pulsion très élémentaire, la faim.

La distinction entre l'animal et l'homme permet d'aborder maintenant la distinction qu'il est également nécessaire de faire entre *envie* et *désir*. L'envie est animale et humaine, le désir est spécifiquement humain. L'envie est celle de l'assouvissement d'un besoin, qui se trouve à l'origine d'une pulsion soit fondamentale, manger, boire, copuler essentiellement, soit acquise par les automatismes que la socioculture a établis dans nos voies neuronales. Dans ces deux cas, on peut dire que l'animal et l'homme se valent, à cette différence près, évidemment, que les automatismes acquis par l'homme passant à travers le langage vont être beaucoup plus riches et beaucoup plus variés que ceux de l'animal. En quelque sorte, l'homme est beaucoup plus dépendant de son environnement social que l'animal. Ou du moins sa dépendance est considérablement enrichie par rapport à celle de l'animal. Par contre le désir est strictement humain parce qu'il fait appel aux constructions imaginaires que seul le cerveau humain est capable de réaliser à partir des automatismes acquis et de l'apprentissage. On ne désire pas posséder une résidence secondaire, on a envie d'en avoir une, lorsque l'on a vu certains de ses contemporains se faire plaisir avec un tel objet, mais, se faisant, on n'apporte aucune création nouvelle aux connaissances humaines. De même, bien que l'expression soit courante, on ne désire pas une femme, on a envie d'elle, ce qu'on désire, c'est la Femme, c'est-à-dire un être imaginaire, comme le disait Verlaine, qui n'est « ni tout à fait la même, ni tout à fait une autre, et m'aime et me comprend ». Et par là même, on retrouve le narcissisme primaire, c'est-à-dire ce besoin de trouver l'autre lorsque l'on a réalisé son schéma corporel et que l'on s'est aperçu que l'on était seul dans sa peau de la naissance à la mort : le désir de retrouver le moi-tout dans lequel le principe de réalité freudien n'avait pas encore infligé sa coercition implacable à l'expression de nos désirs et à leur réalisation.

PASSAGE
DU BIOLOGIQUE AU SOCIOLOGIQUE,
DU NIVEAU D'ORGANISATION INDIVIDUEL
AU COLLECTIF

L'action se réalise dans un espace ou des espaces qui contiennent des objets et des êtres. Si l'espace était vide, il n'y aurait pas de raison d'agir. Nous savons maintenant que lorsque l'action se réalise, si le contact avec les objets et les êtres contenus dans l'espace où elle s'opère est gratifiant, aboutit à la satisfaction ou au contraire à la punition, la mémoire se souviendra des stratégies ayant abouti à l'une ou l'autre de ces conséquences. Elle tentera de reproduire l'acte gratifiant et d'éviter l'action nociceptive. Pour réaliser ce que nous avons appelé le réenforcement, c'est-à-dire la répétition de l'action gratifiante, il faut que l'objet ou l'être sur lequel cet acte s'est opéré reste à la disposition de l'individu, de l'acteur. C'est là que réside, pour nous, l'origine de ce que nous appelons l'instinct de propriété, qui résulte lui-même de l'apprentissage par un système nerveux de l'existence d'objets avec lesquels on peut se faire plaisir. Pour le nouveau-né, le premier objet gratifiant est évidemment la mère. En général, le principe du plaisir découvert réside dans le fait que les besoins fondamentaux sont assouvis par quelqu'un d'étranger puisque le petit de l'homme ne peut pas les assouvir à la naissance par son action personnelle sur l'environnement. Le plaisir, donc, va être mémorisé en même temps que des stimuli variés, qui généralement viendront de la mère : le contact de la

mère, la voix de la mère, la vue de la mère, l'odeur de la
mère. Ces différents stimuli sont généralement associés à
l'assouvissement des besoins, c'est-à-dire au plaisir, mais,
rappelons-le, à une époque où le *nouveau-né* est encore
dans ce que nous avons appelé son moi-tout, à une époque
où il n'a pas encore réalisé son schéma corporel, et qu'il ne
sait pas encore qu'il est dans un environnement différent de
lui. Lorsqu'il a réalisé cette distinction, cette différenciation entre lui et l'autre, il va s'apercevoir que l'objet de son
plaisir, la mère, ne répond pas obligatoirement à ses désirs,
si elle répond encore le plus souvent à ses besoins
fondamentaux. C'est alors qu'il va découvrir le principe de
réalité. Il va s'apercevoir que la mère a des rapports
particuliers avec un moustachu qu'il ne sait pas être son
père mais qui lui ravit son objet gratifiant, ou avec d'autres
êtres qu'il ne sait pas être ses frères ou sœurs et pour
lesquels la mère a des attentions particulières comme elle
en a aussi à son égard. Il va découvrir ainsi l'instinct de
propriété ou plutôt le prétendu instinct de propriété,
l'amour malheureux, la jalousie, l'œdipe. Pour certains
cependant, l'œdipe serait en relation avec le mimétisme à
l'égard du père pour les enfants mâles [1] (le père s'appro-
priant la mère), et non pas l'expression directe d'une libido
de l'enfant envers la mère, entrant en compétition avec
celle du père, pour la possession de l'objet gratifiant.
Notons que cette interprétation ne fait que repousser le
problème puisqu'il s'agit alors de définir certaines bases
neurophysiologiques et biochimiques du mécanisme du
mimétisme qui n'est qu'un mot, plaqué sur un comportement. Nous y reviendrons.

Ainsi, la notion de propriété et non pas l'instinct de
propriété s'établit progressivement par l'apprentissage de
l'existence d'objets gratifiants. Et l'espace contenant l'ensemble des objets gratifiants est ce qu'on peut appeler

---

1. R. GIRARD (1978) : *la Violence et le Sacré*, Grasset éd.

« territoire ». On sait combien cette notion de territoire, dans l'éthologie moderne, a été fréquemment utilisée et combien la notion de défense du territoire a été étudiée. Qu'on nous permette simplement de faire remarquer que si le territoire était vide, il ne serait pas défendu. Il n'est défendu que parce qu'il contient des objets et des êtres gratifiants car si ces objets et ces êtres étaient dangereux pour la survie, le territoire serait fui et non pas défendu. Il n'existe donc pas, selon nous, d'instinct inné de défense du territoire pas plus qu'il n'existe d'instinct de propriété : tout cela n'est qu'apprentissage. Il n'y a qu'un système nerveux ou des systèmes nerveux agissant dans un espace qui est gratifiant parce qu'il est occupé par des objets et des êtres permettant la gratification. Ce système nerveux est capable de mémoriser les actions gratifiantes et celles qui ne le sont pas ; des actions qui sont récompensées et d'autres qui sont punies et l'on conçoit que l'apprentissage est ainsi largement tributaire de la socioculture. On nous permettra de douter de l'affirmation qui voudrait que les comportements altruistes chez l'animal et chez l'homme soient innés et qu'ils dépendent d'un conditionnement génétique, de l'existence des gènes égoïstes essayant de se survivre et de se reproduire. Il y a là, soit dit en passant, une confusion grave, un jugement qui nous paraît erroné, entre une causalité et une fonction. Le gène serait la cause, dans cette hypothèse, d'une fonction, c'est-à-dire d'un comportement. Or, il existe chez les insectes, chez les oiseaux et les mammifères comme la chauve-souris, des ailes permettant de réaliser la même fonction et personne n'aura l'audace de prétendre qu'elles sont supportées par les mêmes gènes, altruistes ou non. Il serait peut-être intéressant dans la toute jeune sociobiologie wilsonienne de ne pas s'arrêter aux faits dits objectifs qu'elle abstrait d'un phénomène complexe, en ignorant complètement toute la biologie des comportements et de savoir ce qui anime son discours, ce qui se cache comme pulsion dominatrice, comme automatismes culturels dans cette forme d'interprétation des faits, qui saute allègrement du gène aux insectes, puis aux oiseaux, avant d'arriver à l'espèce humaine.

Ces préambules étant posés, si dans l'espace contenant des objets et des êtres gratifiants, dans le territoire, se trouvent également d'autres individus cherchant à se gratifier avec les mêmes objets et les mêmes êtres, il en résultera l'établissement, par la lutte, des hiérarchies ; en haut de la hiérarchie, le dominant qui peut se gratifier sera moins agressif, sera tolérant et l'expérimentation montre qu'il est en équilibre biologique, que sa cortisolémie est normale, et que l'ensemble de son système endocrinien fonctionne harmonieusement, du moins aussi longtemps que sa dominance ne sera pas contestée et lorsque sera passée la période d'établissement de la dominance. Le dominé, au contraire, mettant en jeu le système inhibiteur de l'action pour éviter les punitions infligées par les dominants, fait l'expérience de l'angoisse dont nous avons schématisé plus haut les mécanismes et les conséquences. Chez l'homme, les langages ont permis d'institutionnaliser les règles de la dominance. Celles-ci se sont établies successivement au départ sur la force, la force physique, puis, à travers la production de marchandises, sur la propriété des moyens de production et d'échange, celle du capital que ces productions permettaient d'accumuler, et puis, dans une dernière étape d'évolution historique et dans toutes les civilisations industrielles contemporaines, sur le degré d'abstraction atteint dans l'information professionnelle. Suivant ce degré d'abstraction, surtout celle qu'utilisent la physique et les mathématiques, l'individu ou le groupe seront d'autant plus capables de réaliser des machines de plus en plus sophistiquées, de plus en plus efficaces, pour la production d'objets ; cette production va permettre l'établissement de dominance des groupes, des Etats et des ensembles d'Etats. Les machines en effet font beaucoup d'objets en peu de temps, l'information qu'on y dépose s'y trouve placée une fois pour toutes et va produire une masse très importante d'objets, alors que l'information déposée dans le système nerveux d'un artisan du siècle dernier était obligée d'être réactualisée chaque fois que celui-ci réalisait un objet. Le rôle de l'homme dans un tel système est essentiellement celui de découvrir des machines de plus en plus efficaces, d'utiliser l'information technique de plus en plus élaborée et l'on comprend, dans ce cas, que ceux qui n'y ont pas eu accès soient défavorisés sur le plan de leur vie quotidienne, de leur salaire, de leur dominance hiérarchique, et enfin, ce qui est peut-être le plus important, de l'image idéale qu'ils se font d'eux-mêmes.

Ainsi, la caractéristique du cerveau humain, grâce à ses systèmes associatifs, est de créer l'information avec laquelle il mettra en forme la matière et l'énergie depuis le paléolithique, et la mise en forme par l'homme d'un silex qu'il a taillé, jusqu'à l'utilisation contemporaine de l'énergie atomique. Il faut reconnaître que, si pendant des siècles, l'homme s'est caractérisé d'abord par une mise en forme de la matière, ce n'est que très tardivement qu'il sut mettre en forme l'énergie. Qu'on se souvienne que l'invention du licol, c'est-à-dire l'utilisation de l'énergie animale, ne date que de quatre mille ans. La révolution industrielle à partir de la mise en forme de l'énergie thermique avec la machine à vapeur a vu se développer d'une façon considérable, que l'on dit exponentielle, le contrôle par l'homme de son environnement, et aboutir à une recherche du pouvoir à travers la propriété de l'énergie, ou des moyens de se la procurer. Des groupes humains possédant une information technique ou professionnelle élaborée ont ainsi imposé leur dominance à ceux qui ne la possédaient pas, d'autant que cette évolution technique a permis de réaliser des armes plus efficaces pour imposer par la force, et non plus simplement directement par une technologie avancée, la forme de vie, les concepts et les jugements de valeur. Cette information technique a été en effet utilisée pour la construction d'armes redoutables qui leur ont permis d'aller emprunter, hors de leur niche écologique, les matières premières et l'énergie situées dans celles des groupes humains ne sachant pas les utiliser. En effet, la matière et l'énergie (nous les distinguerons, bien qu'une relation existe entre elles, nous le savons depuis Einstein) ont toujours été à la disposition de toutes les espèces et de l'espèce humaine en particulier. Mais seule l'information technique permet de les utiliser efficacement, donc de dominer son semblable. Et ce qui est le plus grave, c'est que l'accroissement des connaissances dans le domaine de l'inanimé n'a pas été suivi parallèlement par celui des connaissances dans le domaine du vivant. C'est bien compréhensible car les organismes vivants sont faits des mêmes constituants que ceux de la matière inanimée, mais leur organisation diffère.

Nous avons dit au début combien cette organisation était complexe et combien, pour la comprendre, ces notions tardivement apparues étaient indispensables. La biologie a donc été très en retard dans l'évolution des connaissances humaines et ce n'est que depuis trente ans que la partie la plus difficile à comprendre, celle de l'organisation fonction-nelle du cerveau humain, a commencé à intervenir dans l'interprétation du comportement humain. Entre-temps, un discours logique a toujours fourni des alibis langagiers aux pulsions dominatrices inconscientes. Le progrès techni-que a été considéré comme un bien en soi, comme le seul progrès, alors que les lois biologiques commandant au comportement n'ont pas dépassé, jusqu'à une date récente, les connaissances acquises au paléolithique. Si, depuis deux mille ans, on nous a dit de nous aimer les uns les autres, en commençant par soi-même, le besoin des hommes d'expli-quer leur comportement les a enfermés dans un dualisme, matière et pensée, qui ne pouvait aboutir qu'à une utilisation extrêmement habile du monde inanimé, au service d'un psychisme qui n'était jusqu'ici qu'un psychisme de blabla, une phraséologie prétendant toujours détenir une vérité, vérité qui n'était valable que pour les sous-groupes dominateurs et prédateurs, et jamais pour l'espèce entière. L'individu et l'espèce ont la même finalité : survivre. Entre eux, s'interposent les groupes sociaux qui veulent survivre également, mais ont cru que la survie n'était possible qu'en établissant leur dominance sur d'autres groupes sociaux. On passe ainsi donc au niveau d'organisation des groupes, qui sont eux-mêmes englobés par une société globale occidentale ou non occidentale, le tout appartenant à l'espèce. Ce qu'il est convenu d'appeler le monde occidental a produit plus d'information technique qu'il avait de matière et d'énergie à transformer. Il n'a pas à s'en flatter, cela vient du fait qu'à la fin de la dernière glaciation, celle du Würm, il y a dix ou douze mille ans, s'est établi, dans l'hémisphère nord, un climat tempéré où, l'été, il faisait bon vivre mais où, l'hiver, il fallait recommencer à craindre la famine, si la chasse n'était pas suffisante à alimenter le groupe. C'est une pression de nécessité qui a obligé les ethnies se trouvant dans ces régions autour du 45ᵉ parallèle à inventer la culture et l'élevage, qui furent à l'origine de toute l'évolution technique qui a suivi. Le monde occidental s'est approprié la matière et l'énergie situées dans des niches géoclimatiques habitées par des ethnies dont l'évolution technologique était moindre. Mais à l'intérieur même de ce monde technicisé, la dominance s'est établie sur la productivité en marchandises ; or il semble certain que cette productivité est fonction du nombre de brevets et de techniciens qu'un groupe humain est capable de produire. Bien que nous soyons, nous Français, le peuple le plus intelligent de la terre, c'est bien connu, nous ne sommes que 50 millions, alors que les USA comptent 220 millions d'habitants, l'URSS environ 300, et que la Chine qui, grâce à son association technologique récente avec le Japon, va prochainement bénéficier de la technologie occidentale (pourquoi pas ?) en compte près d'un milliard. Cette constatation, que nous pouvons résumer en disant que le laser avait peu de chances d'être découvert en République d'Andorre ou au Liechtenstein, montre que la conservation d'Etats ou même de groupes d'Etats ne cherchant l'épanouissement des individus qu'ils gèrent que dans la dominance économique, c'est-à-dire dans l'appropriation des matières premières et de l'énergie, risque de conduire à la disparition de l'espèce dans une compétition aveugle par la productivité pour l'établissement des dominances. La crainte écologique, qui a pris naissance au cours des dernières décennies, s'effraie sans doute du résultat sans pour autant en dénoncer les facteurs comportementaux et systémiques. Ainsi, La Fontaine l'avait déjà dit : « La raison du plus fort est toujours la meilleure. Nous allons le montrer tout à l'heure. »

Je voudrais ajouter cependant, pour terminer ce schéma assez simpliste du passage du biologique au sociologique, que nous n'avons envisagé que le rapport entre deux individus pour passer au plan du groupe et des sociétés globales. Les éthologistes qui ont étudié ces comportements dans les espèces animales nombreuses, en particulier chez les primates, montrent que ce rapport duel dans une espèce est rarement celui que l'on rencontre. Il s'agit généralement, dans un processus de base, du rapport entre trois individus. Les éthologistes se sont livrés à une combinatoire complexe, avec une expression mathématique qui les honore, pour montrer comment se constituent les sociétés animales et particulièrement les groupes des singes anthropoïdes. Il se s'agit pas dans cet exposé de développer l'énorme travail réalisé par l'éthologie contemporaine, mais d'en faire comprendre les bases qui, dans leur simplicité, déjà, sont capables de fournir des éléments de réflexion d'une part et, d'autre part, de faire disparaître, de façon difficilement critiquable, des préjugés et des jugements de valeur, qui aboutissent dans le monde contemporain à la foire d'empoigne généralisée, au génocide, aux guerres, aux tortures, avec des moyens beaucoup plus efficaces que ceux utilisés dans le passé où des épidémies et des endémies tuaient beaucoup plus d'hommes que la guerre. Aujourd'hui, c'est l'inverse que nous contemplons. Mais les épidémies et les endémies font appel aux microbes, comme facteurs indispensables, alors que les guerres sont dues à l'homme et c'est peut-être une meilleure connaissance de celui-ci qui nous permettra de les éviter. Ce long discours était, me semble-t-il, nécessaire pour aborder ce sujet très à la mode qu'est l'étude de l'agressivité et de la violence.

LES AGRESSIVITÉS ET LA VIOLENCE

exprimant la dominance du plus fort sans essayer de comprendre les mécanismes en cause ; elles ont respecté par la violence, une violence institutionnalisée, laquelle s'oppose à elle une violence explosive.

On comprend maintenant que nous ne pouvions aborder le sujet de ce travail sans le placer dans le cadre indispensable que nous avons essayé de tracer. Tout phénomène vivant n'a pas une cause dont on observe l'effet. Chaque système vivant, avons-nous dit, est construit par niveaux d'organisation et c'est à chaque niveau d'organisation que l'on doit étudier le phénomène que l'on observe en définitive. Nous le disons d'autant plus volontiers que, en ce qui concerne l'agressivité, nous sommes nous-même, il y a une douzaine d'années, tombé dans l'erreur en suivant, à l'époque, l'opinion dominante qui était celle de beaucoup d'éthologistes : en regardant un comportement animal et un comportement humain, leur trouvant un certain nombre d'analogies et sans voir que le cerveau humain et le cerveau de l'animal même le plus évolué, comme celui des grands anthropoïdes, sont différents, on arrivait à cette conclusion que l'animal étant agressif de façon innée — ce qui d'ailleurs est faux —, l'homme l'était aussi. Il fallait se contenter d'essayer, si l'on voulait que les agressivités disparaissent, de les constater pour les interdire. Mais la police ou les armées n'ont jamais interdit les actes de violence, de même que les institutions internationales n'ont interdit les guerres, car elles ont simplement imposé les lois exprimant la dominance du plus fort sans essayer de comprendre les mécanismes en cause ; elles font respecter, par la violence, une violence institutionnalisée, lorsque s'oppose à elle une violence explosive.

CHEZ L'ANIMAL

L'AGRESSıVITÉ PRÉDATRICE

Le comportement de prédation est bien un comportement agressif suivant la définition que nous avons proposée de l'agression, puisque sa conséquence sera la disparition de la structure organique de son objet, l'augmentation de son entropie. Mais il répond à un besoin fondamental, la faim, et le plus souvent il ne s'accompagne pas d'affectivité, puisque nous avons admis que celle-ci est le résultat d'un apprentissage de l'agréable et du désagréable, de l'utile et du dangereux. La lionne sautant sur une gazelle pour la dépecer et s'en nourrir n'éprouve envers elle aucun ressentiment, aucune haine, et sa faim apaisée, elle peut fort bien, sans les agresser, laisser les gazelles venir se désaltérer au même point d'eau. Son comportement se rapproche de celui de la ménagère allant chercher un bifteck chez le boucher. Celle-ci n'en veut pas au bœuf. Ce comportement de consommation animé par une agressivité prédatrice ne paraît lié à l'affectivité que dans la mesure où la pulsion, la faim, résultant d'un déséquilibre biologique interne, provoque une sensation désagréable qui disparaît avec son assouvissement, lequel s'accompagne évidemment d'un certain plaisir. Mais puisque nous avons parlé tout à l'heure

du bon La Fontaine, il n'en est sans doute pas de même
pour le loup de sa fable qui, poussé par le même besoin, a
bénéficié du langage humain pour exprimer un apprentissage, couvrir d'un discours logique son comportement
agressif, plein de haine pour « l'agneau, ses bergers et ses
chiens ». Il s'agit manifestement de l'apprentissage d'un
comportement agressif de défense, contre l'action répressive engagée contre son agressivité prédatrice. C'est par
l'intermédiaire de l'agressivité prédatrice que la grande
coulée d'énergie photonique solaire passe à travers la
biosphère et coule au sein des individus et des espèces.
C'est elle qui établit l'harmonie des systèmes écologiques
dans toutes les régions de la planète et c'est parce que
l'homme ne s'y est pas intégralement soumis qu'il est en
train de détruire cette biosphère.

Au lieu de limiter sa prédation à sa faim, il l'a utilisée
pour faire des marchandises, pour établir sa dominance sur
ses semblables, à travers la production de ces marchandises
et leur vente. Mais dans nos sociétés contemporaines
évoluées, l'agressivité prédatrice motivée par la faim est
exceptionnelle. Même parmi les millions d'individus qui,
chaque année encore, meurent de faim, ce type d'agressivité n'est pas rentable car il n'est plus efficace en face des
armes de ceux qui n'ont pas faim. On ne peut le confondre
avec un comportement de vol ou de délinquance dont nous
avons dit qu'il avait pour base le plus souvent un apprentissage d'objets gratifiants, c'est-à-dire un besoin acquis
d'origine socioculturelle. Enfin, faut-il le souligner, l'agressivité prédatrice s'exerce toujours sur un individu d'une
autre espèce que l'espèce observée et jamais sur un animal
de la même espèce. Si la faim peut encore exceptionnellement motiver les comportements humains d'agressivité,
son but n'est pas de manger l'autre mais de lui prendre son
bien, avec des deux côtés, toujours, un discours logique
permettant d'interpréter et de fournir un alibi au comportement agressif offensant comme au comportement agressif

défensif. Et l'on devine que l'on entre dans une catégorie de comportements agressifs, que nous étudierons dans un instant, c'est celle de l'agressivité compétitive.

L'agressivité prédatrice est valable aussi bien pour l'individu que pour le groupe. Elle est même valable pour l'espèce et l'on sait généralement qu'une espèce a ses prédateurs spécialisés d'une autre espèce. La compétition interspécifique, exprimée dans cette agressivité prédatrice, semble être sous-tendue par le besoin de maintenir la structure individuelle par l'alimentation et, ce but étant mieux réalisé en groupe, l'individu acceptera d'entrer dans un système hiérarchique de dominance et de se soumettre à une agressivité de compétition, maintenant la cohésion du groupe, parce qu'il y trouve son avantage. L'agressivité prédatrice résulte, on s'en doute, de l'état perturbé de la colonie cellulaire où se trouve situé un système nerveux, lorsque les substrats assurant l'activité métabolique des usines chimiques cellulaires viennent à manquer. Ces perturbations vont stimuler certaines régions de l'hypothalamus, qui vont aboutir à l'activité motrice de la prédation, laquelle fera disparaître les perturbations. Lorsque l'animal appartient à une espèce possédant un système limbique d'apprentissage de la stratégie à mettre en jeu pour la satisfaction du besoin, il pourra ajouter à l'activité stéréotypée, mise en jeu par l'hypothalamus, une expérience beaucoup plus complexe due aux succès ou aux échecs des essais antérieurs. Enfin, l'espèce humaine en ajoutant à ces comportements précédents l'activité de ses systèmes associatifs a pu imaginer des moyens de plus en plus complexes et efficaces pour assurer la réalisation de son activité prédatrice lui permettant de s'alimenter avec une sécurité plus grande et de se défendre des bêtes sauvages, en résumé, de mieux assurer la conservation de la structure individuelle et des groupes. La transmission de l'expérience ne s'est plus faite seulement par mimétisme, mais par le

langage, ce qui a permis son enrichissement de génération
en génération, par accumulation de l'information.

L'AGRESSIVITÉ DE COMPÉTITION

Nous avons vu que la mise en relation du système
nerveux avec des objets et des êtres au sein d'un espace
qu'on peut appeler territoire, lorsqu'elle aboutit au rétablissement de l'équilibre biologique et à la gratification, est
à l'origine d'un réenforcement, c'est-à-dire une répétition
de l'acte gratifiant. Celle-ci peut donc être considérée
comme le résultat d'un besoin acquis, capable lui-même
d'engendrer une pulsion à agir, c'est-à-dire capable de
motiver l'action capable de satisfaire les besoins acquis. Si
dans le même espace, un autre organisme acquiert la même
pulsion et les mêmes motivations pour les mêmes objets et
les mêmes êtres, il en résultera, nous le savons, entre ces
deux organismes, une compétition pour l'obtention de ces
objets ou de ces êtres gratifiants. Nous verrons que pour
l'homme le problème se complique. Mais déjà pour l'animal, ce rapport entre deux individus entrant en compétition pour l'obtention de l'objet ou de l'être gratifiant peut
s'établir dans le temps, suivant des circonstances différentes. Par exemple, à la suite d'une compétition entre deux
individus pour un objet gratifiant alimentaire, on pourra
voir apparaître une dominance qui ne sera plus en jeu
lorsque la compétition aura pour objet un objet sexuel.
Ajoutons aussi que, même dans les sociétés animales, la
compétition pour l'obtention d'objets ou d'êtres gratifiants
entre deux individus fait très souvent appel à un troisième
auquel l'un de ces deux individus va s'associer pour être
plus sûr de l'obtention de ce qu'il envie. Et, dans un autre
cas, l'un des protagonistes pourra s'associer d'une façon

différente encore, pour l'assouvissement de ses besoins. Il va en résulter des relations complexes souvent circulaires au sein du groupe qui pourront être à l'origine de véritables classes sociales entre les individus de ce groupe dont les uns seront généralement dominés, les autres dominants, mais d'une façon qui ne sera pas définitivement établie, et dont les pouvoirs varieront d'un instant à l'autre suivant les associations interindividuelles dans le groupe [1]. C'est bien évidemment dans le cadre de l'agressivité de compétition que peut se situer l'agressivité exprimée dans la *défense d'un territoire*. Telles sont les bases de ce prétendu instinct de propriété qui n'est, dans ce cas, que l'acquisition de l'apprentissage de la gratification et du réenforcement qui lui succède. Pour que ce réenforcement puisse se poursuivre, les objets et les êtres gratifiants doivent rester à la disposition de l'individu qu'ils gratifient. Et comme ils sont situés dans un espace opérationnel, le territoire qui, s'il était vide ou rempli d'objets ou d'êtres non gratifiants, dangereux même pour le maintien de la structure de l'individu, donc nociceptifs, ne serait pas défendu mais fui, on peut admettre que l'agressivité de défense du territoire est un comportement acquis et non pas inné ; il résulte de la compétition avec un intrus pour la conservation des objets et des êtres gratifiants que le territoire contient.

Mais là encore méfions-nous, même dans les sociétés animales, de ne pas confondre les niveaux d'organisation, de confondre la défense du territoire du couple par exemple, appropriation qui permettra à l'époque du rut la reproduction et l'apprentissage premier de la descendance, avec la défense d'un territoire du groupe, qui *contient une autre structure que celle de l'individu : la structure du groupe,* c'est-à-dire l'ensemble des relations existant entre les individus constituant ce groupe. Or, nous savons que dans

---

1. I. D. CHASE (1982) : « Behavioral sequences during dominance hierarchy formation in chickens », *Science, 216,* 4544, pp. 439-440.

toutes les sociétés animales, cette structure du groupe est
une structure hiérarchique de dominance. On peut donc
dire que *cette chose impalpable qu'est la structure du groupe,*
ces relations interindividuelles, occupe le territoire et que,
quand un individu, participant en tant qu'élément à la
structure de ce groupe, va défendre le territoire du groupe,
avec les autres individus constituant ce groupe, il va
défendre cette structure abstraite qu'est la structure interindividuelle hiérarchique de dominance. Mais ce faisant
évidemment, il défend aussi sa propre structure d'individu,
puisqu'il bénéficie de l'appartenance au groupe, pour la
protéger. Douloureusement dominé, aliéné, lorsqu'il
appartient dans le groupe à la base de l'échelle hiérarchique, il est encore préférable pour lui cependant, préférable
pour sa survie, de combattre avec l'ensemble du groupe
plutôt que de s'en séparer. Il est probable que le dominant
a intérêt à ce que le groupe conserve la propriété du
territoire où il survit, s'il veut conserver sa dominance.
Mais il est probable aussi que le dominé a intérêt également, s'il veut continuer à vivre sur le territoire qui lui
permet de vivre, à ce que le dominant conserve sa
dominance s'il veut lui-même participer à la survie du
groupe. Sidney Gauthreaux Jr.[1] a proposé, pour expliquer
le rôle adaptatif des comportements de dominance, un
modèle de dispersion. Au centre le plus riche du territoire
se trouvent les dominants et plus on s'éloigne vers la
périphérie la plus pauvre, plus s'accumulent les dominés.
Quand l'abondance de la nourriture diminue, ce sont ces
derniers qui seront les premiers affectés et donc les
premiers à émigrer vers d'autres territoires. Même si ces
nouveaux territoires sont moins riches en nourriture, ils
suffiront aux émigrants qui n'auront plus à subir momenta-

1. S. A. GAUTHREAUX Jr. (1978) : « The ecological significance of behaviou-
ral dominance », in *Perspective in ethology*, vol. 3, *Social Behaviour*, éd. by
Bateson P. P. G. et Klopfer P. H., Plenum Press, New York et Londres.

nément l'appropriation des dominants. Le même modèle est applicable aux qualités protectrices de l'habitat.

L'agressivité inter-mâles

Il n'est peut-être pas interdit de penser que l'agression qui survient fréquemment entre les mâles, bien que reposant sur un instinct sexuel qui dépend largement de l'état hormonal, fait appel aussi à ce que nous venons d'appeler agressivité de compétition, dès lors qu'un individu de la même espèce intervient dans le même espace pour s'approprier l'objet de gratification sexuelle, la femelle convoitée. Que la pulsion soit secondaire à une activité hormonale est certain, car l'agressivité inter-mâles n'apparaît chez la souris en particulier qu'au moment de la maturité sexuelle comme dans beaucoup d'autres espèces. On sait aussi que la testostérone, hormone mâle, administrée à des souris castrées, provoque une augmentation considérable des combats entre les mâles comme nous le montrait Ulrich (1958) : de même, injectée à la souris immature, elle augmente l'agressivité des mâles et pas celle des femelles. Levy[1] montre que les androgènes et surtout les testostérones agissent sur les voies nerveuses qui supportent l'activité agressive chez le mâle, mais pas chez la femelle, favorisent le développement de l'organisation de ces voies et abaissent leur seuil d'excitabilité même en dehors de la compétition pour les femelles. Cette action sur l'organisation nerveuse se réalise dans les premiers jours de la vie. Bronson et Desjardins[2] en 1968 ont pu androgéniser à la naissance des souris femelles ovariectomisées ensuite au 25e jour, puis isolées à l'âge adulte ; ces femelles placées

1. J. V. LEVY : « *The effect of testosterone propionate on fighting behaviour in* C57BL/10 *young female mice* », *Proc. W. Va Acad. Sci.*, 1954, *26*, n° 14.
2. F. H. BRONSON et C. DESJARDINS : « Agression in adult mice : modification by neonatal injections of gonadal hormones », *Science*, 1968, *161*, pp. 705-706.

avec les mâles sont considérablement plus agressives qu'eux et le nombre de blessures qu'elles occasionnent, et qui vont parfois jusqu'à la mort, sont fonction de la dose de propionate de testostérone qui a été injectée. Clayton, Kogura et Kraemer [1], en 1970, ont montré les changements survenant dans le métabolisme de l'ARN dans l'amygdale et l'hypothalamus antérieur des rats nouveau-nés après administration de testostérone et Kobayashi et Gorski [2], en 1969, ont pu interdire ces changements par des inhibiteurs de la synthèse protéique tels que l'actinomycine D ou la puromycine, inhibiteurs de la mémoire à long terme et de l'organisation synaptique du cerveau qui, répétons-le, est encore immature à cette époque. Cependant, et c'est un fait important, récemment Dixson et Herbert [3], en 1977, ont pu montrer expérimentalement chez le singe, après gonadectomie avec thérapeutique ou non de remplacement par la testostérone, que l'expérience sociale antérieure, c'est-à-dire l'établissement d'une dominance ou d'une subordination et l'apprentissage des règles hiérarchiques, avait plus d'importance que les hormones sexuelles dans l'agressivité et l'établissement des dominances.

L'AGRESSIVITÉ DÉFENSIVE

C'est l'agressivité provoquée par un stimulus nociceptif lorsque la fuite ou l'échappement sont impossibles. La lutte, dans ce cas, peut encore réaliser la destruction de

1. R. B. CLAYTON, J. KOGURA et H. C. KRAEMER : « Sexual differentiation of the brain : effects of testosterone on brain RNA metabolism in newborn female rats », *Nature* (Londres), 1970, *226,* 5248, pp. 810-812.
2. R. KOBAYASHI et R. A. GORSKI : « Effects of antibiotics on androgenisation of the neonatal female rat », *Endocrinology,* 1969, *86,* pp. 285-289.
3. H. T. DIXSON et J. HERBERT : « Testosterone, aggressive behaviour and dominance rank in captive adult mais talapion monkey », *Physiol. Behav.,* 1977, *18,* 3, pp. 539-543.

l'agent nociceptif. C'est un comportement inné qui met en jeu le PVS. Il peut être orienté vers un agent physique, vers un individu d'une autre espèce ou un individu de la même espèce. C'est l'agression déclenchée en réponse à une agression du milieu quel que soit l'agent qui en est responsable. L'agressivité défensive ne deviendra un comportement appris faisant appel à un processus de mémoire que si elle est récompensée, mais elle reste toujours liée à un stimulus du milieu. Cependant, on conçoit qu'il sera bien souvent difficile de distinguer clairement ce type d'agressivité des agressivités compétitives. En effet, le stimulus douloureux qui est le facteur provoquant l'agressivité défensive peut provenir d'un autre individu entrant en compétition pour l'obtention d'un objet ou d'un être gratifiant. Et même chez l'animal, l'innéité du comportement n'est pas toujours facile à discerner. Expérimentalement, chez lui, l'agressivité défensive est plus facile à classer, car on peut la provoquer par la stimulation électrique de certaines aires cérébrales. Nous savons que la stimulation des structures catécholaminergiques du MFB provoque le réenforcement et la répétition de l'acte ; que des animaux chez lesquels on place dans le MFB une électrode reliée à une source électrique de faible intensité dont l'autre pôle est lui-même en relation avec une manette qui, lorsqu'on appuie sur elle, permet de fermer le circuit sur l'animal, vont, s'ils appuient par hasard sur cette manette, rester, pendant des heures, à côté d'elle et pourront appuyer sur cette manette, dix, douze mille fois pendant vingt-quatre heures, en en oubliant de boire et de manger. Bien sûr le rat ou le singe ne vous disent pas que ça leur fait plaisir d'appuyer sur la manette, mais si cela ne leur faisait pas plaisir, ils ne recommenceraient pas, surtout que, lorsqu'on recommence la même expérience de stimulation, avec les structures cholinergiques du PVS, ce n'est pas la répétition de l'appui sur la manette que l'on va constater, mais au contraire un violent mouvement de défense accompagné d'un cri et l'animal va devenir agressif, si la fuite est impossible. C'est ce qu'ont montré De Molina et Hunsperger[1], en 1962. Plotnik, Mir et Delgado[2] ont implanté des électrodes sur des singes et leur ont donné la possibilité de se stimuler eux-mêmes. Il est alors facile de préciser les régions où la stimulation est renforcée, neutre, ou évitée, parce qu'elle constitue une punition. Les animaux placés en situation libre et en groupes s'organisent hiérarchiquement. On stimule alors par contrôle à distance les régions isolées antérieurement. Les seuls foyers provoquant un comportement agressif sont ceux où la stimulation provoquait antérieurement une punition ou un comportement de défense. De plus, les auteurs ont constaté que ce comportement agressif ne se produit qu'à l'égard des singes sur lesquels les animaux stimulés exercent une situation de dominance, ce qui veut dire, semble-t-il, que l'animal dominant n'attaque que lorsqu'il est frustré et que l'apprentissage de la situation hiérarchique est aussi important que les circuits fondamentaux. Mais la situation hiérarchique, rappelons-le, s'est établie à la suite d'une compétition pour un objet ou un être gratifiant. Ainsi, si sur le plan biochimique et neurophysiologique, que nous aborderons tout à l'heure, il est possible de faire des distinctions entre l'agressivité compétitive et l'agressivité défensive, sur le plan des comportements la distinction est beaucoup plus difficile. Moyer[3] appelle comportement d'agression « instrumentale » les cas où la réponse agressive est facilitée et où elle subit un réenforcement positif du fait qu'elle est récompensée. Mais nous verrons en parlant du système

1. A. F. de MOLINA et R. W. HUNSPERGER : « Organisation of subcortical system governing defence and fight reactions in the cat », *J. Physiol.* (Londres), 1962, *160*, pp. 200-213.
2. R. PLOTNIK, D. MIR et J. M. R. DELGADO : « Aggression, noxiousness and brain stimulation in unrestrained rhesus monkey », in B. E. ELEFTHERIOU, J. P. SCOTT : *The Physiology of Aggression and Defeat,* Plenum Press, Londres, 1971.
3. K. E. MOYER : « Kinds of aggression and their physiological basis », *Commun In Behav. Biology,* 1969, *2*, pp. 65-87.

inhibiteur de l'action que le comportement agressif peut être inhibé par l'apprentissage de la punition.

Il semble que l'on puisse rapprocher de l'agressivité défensive celle déclenchée par la *peur* (fear aggression) ; celle-ci nécessite un apprentissage de la punition. En effet, la peur exige la connaissance de l'existence de stimuli désagréables. Un enfant qui vient de naître ne peut pas avoir peur. La peur exige aussi la connaissance du fait qu'en présence de l'un d'eux antérieurement répertorié comme douloureux, la fuite ou la lutte permettront l'esquive. L'agressivité résultera de l'impossibilité de fuir l'agent agresseur. Dans certains cas cependant, l'étrangeté d'un événement, compte tenu de l'apprentissage de l'existence d'événements nociceptifs, ne permet pas de classer cet événement dans un répertoire douloureux, neutre ou gratifiant. Il en résultera une inhibition de l'action qui s'accompagne d'un sentiment d'*angoisse* et non pas d'un sentiment de peur. Mais si l'agressivité a été récompensée dans des cas analogues, il se peut qu'elle soit utilisée préventivement. Chez l'animal, il est banal de rappeler que certains comportements, qu'on ne peut appeler qu'agressifs, sont utilisés pour éviter la lutte par la dissuasion, de façon à impressionner l'adversaire. Si celui-ci ne se trouve pas sur son territoire, même s'il possède un avantage d'armes naturelles et de puissance certain, le plus souvent il n'insistera pas et s'éloignera. C'est le chat qui se met en boule, le dos arqué, les poils hérissés ; c'est le chien qui gronde ; l'un et l'autre montrant leurs dents de façon à impressionner l'adversaire. Mais là encore cette agressivité défensive, mettant en jeu le PVS, résulte le plus souvent d'un conflit interindividuel mis en jeu par la compétition. Il semble encore qu'il faille rapprocher de cette agressivité défensive l'agressivité qui résulte de l'*isolement*. Elle se développe lorsque l'animal est isolé et replacé en situation sociale. Pendant la période d'isolement, il lui est facile de contrôler son territoire. On pourrait penser que, replacé dans un espace socialisé, son agressivité puisse être une agressivité de compétition là encore. Mais on ne comprendrait pas alors la tendance de la souris, par exemple, quand elle a été vaincue, à retrouver son agressivité après isolement, comme Ginsburg et Allee[1] en 1942 l'ont montré. Nous avons déjà signalé que ces animaux présentent une faible concentration en catécholamines cérébrales[2]. On peut supposer que le PVS cholinergique qui commande l'agressivité défensive voit son action favorisée. De plus, Eleftheriou et Church[3], en 1968, ont constaté que les animaux qui subissaient une défaite ont une chute de concentration en norépinéphrine cérébrale excepté au niveau du cortex, alors qu'ils libèrent une quantité importante de corticostérone. Nous retrouvons là les éléments biochimiques que nous avons déjà signalés. Au contraire, les animaux dominants ont un taux élevé de catécholamines cérébrales. En résumé, l'ensemble des travaux concernant le problème de l'agressivité résultant de l'isolement de l'animal tend à montrer que c'est l'étrangeté du nouveau milieu et l'impossibilité de pouvoir le contrôler qui sont les facteurs principaux d'activation du PVS. Il faudrait donc rapprocher ce type de comportement agressif du précédent provoqué par la peur.

En ce qui concerne les bases biochimiques de l'agressivité défensive non renforcée, nous avons récemment réalisé une revue générale de nos connaissances[4]. Smith, King

1. B. GINSBURG et W. C. ALLEE : « Some effects of conditioning on social dominance and subordination in inbred strains of mice », *Physiol. Zool.*, 1942, *15*, pp. 485-506.

2. A. S. WELCH et B. L. WELCH : « Isolation, reactivity and aggression : evidence for an involvement of brain catecholamines and serotonin », in B. E. ELEFTHERIOU, J. P. SCOTT : *The Physiology of Aggression and Defeat*, Plenum Press (Londres), 1971.

3. B. E. ELEFTHERIOU et R. L. CHURCH : « Brain levels of serotonin and norepinephrine in mice after exposure to aggression and defeat », *Physiol. Behav.*, 1968, *3*, pp. 977-980.

4. H. LABORIT : *les Comportements, biologie, physiologie, pharmacologie*, Masson (Paris), 1973.

et Hoebel[1], en 1970, constatent que des rats non tueurs peuvent devenir tueurs par l'injection de néostigmine dans l'hypothalamus latéral. On sait qu'il existe des souches de rats qui, lorsqu'ils sont mis en présence d'une souris, se jettent sur elle et la tuent. Il est donc possible par une manipulation pharmacologique de rendre tueurs des rats non tueurs. Pour les auteurs précédents, l'acétylcholine serait le médiateur chimique d'un système inné assurant les mécanismes de ce comportement muricide car il est inhibé par l'atropine, substance antimuscarinique, c'est-à-dire antagoniste de certaines propriétés de l'acétylcholine. Bandler[2] en 1969 aboutit à des conclusions analogues. Or, il semble bien que ce système qui commande au comportement muricide puisse être rapproché du PVS que nous avons vu être lui aussi cholinergique. Cependant, Flandera et Novaka[3] isolèrent deux lignées de rats, les uns non tueurs, les autres tueurs. Les enfants de chaque type de mère furent échangés à la naissance. Or les enfants développèrent le comportement de leur mère adoptive et non de la biologique, bien qu'ils ne fussent pas mis en présence de souris avant le 30e jour. Regarder leur mère tuer une souris améliora alors leur performance, mais sans être nécessaire à son initiation. Les enfants nés de mère tueuse de souris ne montrèrent leur comportement agressif qu'au 90e jour, ce qui montre *l'importance du comportement maternel dans le contrôle et l'apprentissage de celui de l'enfant.* D'autre part, Margules et Stein[4], en 1967, admet-

1. D. E. Smith, M. B. King et E. G. Hoebel : « Lateral hypothalamic control of killing evidence for a cholinoceptive mechanism », *Science,* 1970, *167,* 3919, pp. 900-901.
2. R. J. Bandler : « Facilitation of aggressive behaviour in rat by direct cholinergic stimulation of the hypothalamus », *Nature* (Londres), 1969, *224,* 5223, pp. 1035-1036.
3. V. Flandera et V. Novaka : « Effect of mother on the development of aggressive behaviour in rats », *Rev. Psychoybiol.,* 1974, *8,* pp. 49-54.
4. D. L. Margules et L. Stein : « Neuroleptics vs-tranquillizers : evidence from animal behaviour studies of mode and sites of action », in H. Brill : *Neuropsychopharmacology,* Amsterdam, Excerpta Foundation, 1967.

tent que la libération de catécholamines aux synapses, entre le MFB et l'amygdale, inhibe la contribution de l'amygdale au fonctionnement du PVS, la destruction de l'amygdale rend l'animal indifférent. Mais on comprend ainsi que les animaux isolés soient en déplétion centrale de catécholamines (Welch et Welch, 1971). Nous y reviendrons quand nous étudierons l'agressivité liée à l'inhibition comportementale. Et ces mêmes auteurs constatent que les animaux rendus agressifs par isolement et placés à nouveau en situation sociale ont plus de chance d'établir leur dominance. Parallèlement, on note l'apparition d'une surcharge en catécholamines de leur cerveau qui paraît être la caractéristique biochimique cérébrale des animaux dominants, c'est-à-dire les animaux les plus agressifs mais conjointement les mieux récompensés de leur agressivité. Il faut aussi parler du rôle de la sérotonine (5-HT) qui est encore discuté et pour lequel les résultats sont contradictoires. Cependant, la para-chlorophénylalanine (pCPA), qui abaisse la teneur cérébrale en 5-HT, abaisse aussi le seuil de la stimulation douloureuse, stimulation qui paraît commander le comportement d'agressivité défensive. La 5-HT est abondante dans l'hippocampe, dont le rôle inhibiteur des conduites agressives paraît certain, mais il nous paraît possible aussi que la 5-HT intervienne directement ou indirectement par la libération de polypeptides cérébraux dans la synthèse protéique et dans l'établissement des traces mémorisées.

En résumé, si chez l'animal il existe bien un ensemble d'aires et de voies nerveuses centrales, dont l'existence est bien innée, et qui fait partie d'un capital génétique, aires et voies centrales que l'on peut stimuler directement pour voir apparaître un comportement d'agressivité défensive, il semble n'être mis en jeu que chez l'animal blessé, car dans ce cas, la *douleur* est le facteur primaire de cette mise en jeu. Par contre, il semble que le plus souvent cette mise en jeu sera secondaire à un apprentissage et demandera donc un processus de mémoire, mémoire de la punition et de l'ensemble environnemental qui l'a précédemment accompagnée. Cet appel secondaire à l'agressivité défensive permet sans doute de comprendre pourquoi l'homme a pu, au début du néolithique, élever de jeunes animaux sauvages pour en faire des animaux domestiques. En effet, le nouveau-né a rarement un comportement d'agressivité défensive et s'il est situé dans un milieu dans lequel il n'éprouve pas de douleur et de frustration, il est possible d'empêcher l'apparition de cette agressivité défensive. Là encore, c'est grâce à l'utilisation de l'apprentissage et à l'appel à la mémoire et à l'empreinte, que l'on a pu faire des chiens domestiques à partir du loup. Il faut d'ailleurs noter que c'est encore par apprentissage de la récompense et de la punition que l'on peut dresser un chien-loup, qui ne fera dans ce cas qu'exprimer sur ordre l'agressivité de son propriétaire.

L'AGRESSIVITÉ D'ANGOISSE OU D'IRRITABILITÉ

Nous avons vu que lorsque la gratification n'était pas obtenue et que ni la fuite ni la lutte ne pouvaient s'opposer à l'agression extérieure, un comportement d'inhibition motrice survenait. La poursuite de la lutte pouvant aboutir à la mort, la défaite est encore préférable. Mais nous avons vu aussi qu'elle entraîne la mise en jeu d'un cercle vicieux avec, sur le plan végétatif, une augmentation importante de la norépinéphrine circulante et, sur le plan endocrinien, la libération de glucocorticoïdes, qui eux-mêmes stimulent le système inhibiteur de l'action. Il en résulte une attente en tension qui ne pourra se résoudre que par l'action gratifiante, tension qui parfois peut donner lieu à des explosions d'agressivité ou à des dépressions. Nous avons dit plus haut que, pour nous, non seulement ce processus est à l'origine de ce qu'il est convenu d'appeler les affections psychosomatiques, qui seraient dans ce cas mieux nommées maladies de l'inhibition comportementale, mais bien plus encore qu'il recouvre, comme système comportemental englobant, toute la pathologie. Si, dans une telle situation d'inhibition de l'action, un stimulus surajouté survient, qui normalement n'aurait pas entraîné l'agressivité, cette stimulation nouvelle transforme l'ensemble du comportement. On peut supposer que la sommation des excitations met alors le PVS en jeu. C'est la réponse motrice inopinée à l'angoisse qui ne répond pas à l'ensemble initiateur de celle-ci et permet d'abandonner l'inhibition de l'action pour une activité motrice, même inefficace. Flynn (1967) a proposé un modèle fort semblable de comportement d'irritabilité. Le contrôle par les zones dépressives de l'activité motrice se trouve débordé. L'inhibition de l'action est un comportement résultant d'un apprentissage : elle réclame l'*apprentissage de l'inefficacité de l'action*. Une expérience simple peut le montrer : des rats ne pouvant éviter des chocs électriques plantaires et isolés de telle façon qu'ils ne peuvent combattre un adversaire font une hypertension chronique à la suite d'une expérimentation qui dure sept minutes par jour, pendant sept jours consécutifs, et cela dans cent pour cent des cas. Or, si immédiatement après chaque séance, on les soumet à un choc électrique convulsivant avec coma, qui interdit le passage de la mémoire à long terme, du fait de la dépolarisation globale de tous les systèmes neuronaux, ils ne font pas d'hypertension. Ils oublient en effet d'un jour sur l'autre l'inefficacité de leur action. L'agressivité d'inhibition ou d'irritabilité est donc une agressivité d'apprentissage et non un comportement inné[1]. Mais un animal ayant « appris » l'inefficacité de son

1. H. LABORIT, E. KUNZ et N. VALETTE : « Rôle antagoniste de l'activité motrice d'évitement ou de lutte à l'égard de l'hypertension artérielle chronique provoquée chez le rat par application journalière d'un choc électrique plan-

action est, parfois, par la suite, incapable de fuir la punition, si l'occasion lui en est donnée (hopelessness)[1].

Cependant, une fois de plus, il faut noter que l'inhibition de l'action résulte très souvent de la soumission au dominant, si bien que l'ensemble des aires cérébrales, des voies nerveuses, que nous avons rassemblé sous ce terme de système inhibiteur de l'action, a été plus récemment appelé par Adams[2] (1979) « système de la soumission ». Ainsi l'agressivité d'angoisse ou d'irritabilité ne serait le plus souvent qu'un chapitre de l'agressivité compétitive, puisqu'elle résulterait de l'inhibition comportementale infligée aux dominés par les dominants. L'agressivité compétitive, mettant en présence deux agressivités antagonistes, se terminera par la défaite d'un des protagonistes qui, à partir de ce moment, sera en inhibition de l'action. Si cette défaite se prolonge, si la soumission s'accompagne d'éléments multiples ajoutant aux perturbations primitives des perturbations supplémentaires, une explosion agressive peut alors en résulter, qui, une fois de plus et même chez l'animal, est difficile à isoler du type d'agressivité de compétition dont elle n'est que le prolongement.

Nous avons déjà dit que le comportement *suicidaire* était un comportement d'angoisse et d'inhibition de l'action gratifiante dans lequel l'agressivité se tourne vers le seul objet envers lequel la socioculture ne peut interdire l'action, le sujet lui-même. On peut même penser que la toxicomanie est un comportement intermédiaire de fuite de l'inhibition due à la socioculture et d'agressivité tournée

taire », *Agressologie,* 1974, *15,* 5, pp. 333-339 et *15,* 6, pp. 381-385, et « Rôle de l'apprentissage dans le mécanisme d'inhibition comportementale et de l'hypertension artérielle consécutives à l'application de stimuli aversifs sans possibilité de fuite ou de lutte », *Agressologie,* 1974, *15,* 6, pp. 381-385.
1. C. W. BRETT, T. A. BURLING et W. B. PAVLICK (1981) : « Electrocenvulsive shock and learned helplessness in rats », *Anim. Learn. Behav., 9,* 1, pp. 38-44, viennent de décrire aussi, récemment, l'effet de l'électrochoc convulsivant effaçant le comportement d'inhibition « sans espoir ».
2. D. B. ADAMS (1979) : « Brain mechanisms for offense, defense, and submission », *Behavioral and Brain Sciences, 2,* pp. 201-241.

vers soi-même. Roslund et Larson[1] (1976) trouvent que la dépendance est un trait commun à des individus commettant des crimes et Glueck et Glueck[2] notent que la prévision de la délinquance peut se faire sur le caractère dominé par le sentiment d'insécurité, la crainte de la dépendance, d'un sujet. Nous reviendrons plus loin sur ces notions en traitant des agressivités humaines.

Schéma neurophysiologique et biochimique des différentes agressivités

Il semble certain que le système assurant le mécanisme du comportement de récompense, celui qui est renforcé, est catécholaminergique[3]. Les neurones adrénergiques prennent naissance dans le tronc cérébral inférieur et leurs axones montent dans le FMB pour se terminer dans l'hypothalamus et les formations limbiques. Or, lorsqu'elles sont introduites par voie intraventriculaire cérébrale, les deux principales catécholamines cérébrales, la norépinéphrine et la dopamine, facilitent l'autostimulation. Il semble que, plus précisément, ce soit la dopamine qui soit responsable du renforcement, la norépinéphrine facilitant l'activité motrice. D'autre part, l'autostimulation est au contraire supprimée par les antagonistes α-adrénergiques comme la pentholamine et non par les β-bloquants. Ce que l'on peut en dire de toute façon, et nous l'avons dit, c'est

1. B. Roslund et C. A. Larson : « Mentally disturbed violent offenders in Sweden », *Neuropsychobiol.*, 1976, *2*, pp. 221-232.
2. S. Glueck et E. Glueck : *Predicting Deliquency and Crime*, Cambridge, Harvard University Press, 1959.
3. Système catécholaminergique : ensemble de voies nerveuses dont les médiateurs chimiques sont les catécholamines — dopamine, noradrénaline, adrénaline. Elles agissent sur la membrane cellulaire par l'intermédiaire de récepteurs parmi lesquels on distingue surtout les α et les β récepteurs.

que le comportement renforcé n'est pas inné mais qu'il résulte d'un apprentissage, l'apprentissage du plaisir. Le système permettant la fuite, ou quand celle-ci est impossible, la lutte, est, répétons-le, le periventricular system (PVS). Il est cholinergique [1] (De Molina et Hunsperger [2], 1962). Ce système mettrait en jeu la substance grise centrale mésencéphalique et celle-ci serait alertée, suivant notre propre expérimentation, par l'hippocampe ventral, l'amygdale dorso-médiane et l'hypothalamus latéral. Le comportement de fuite ou de lutte en réponse aux stimuli nociceptifs n'implique pas au début un processus de mémorisation. Il s'agit d'un comportement inné. Il en résulte que l'administration au rat de doses croissantes d'atropine ou de scopolamine qui bloquent l'action de l'acétylcholine diminue la fréquence des combats provoqués par des chocs électriques plantaires [3]. De même chez le rat, chez le chat, les micro-injections d'acétylcholine ou de composés cholinergiques déclenchent un comportement agressif alors que ni la norépinéphrine, ni la dopamine, ni la sérotonine ne peuvent le faire. Dans l'hypothalamus médian, le mésencéphale et l'amygdale, la stimulation cholinergique provoque les mêmes effets que la stimulation électrique, c'est-à-dire une réaction d'agressivité défensive [4]. Par ailleurs, Soulairac, Lambinet et Aymard [5], en 1976, grâce à des échelles d'agression permettant d'analyser objectivement les tendances agressives et les états

1. Système cholinergique ; ensemble de voies nerveuses dont le médiateur chimique est l'acétylcholine.
2. A.F. De Molina et R. W. Hunsperger : « Organisation of subcortical system governing defence and fight reactions in the cat », *J. Physiol.* (Londres), 1962, *160*, pp. 200-213.
3. D. A. Powell, W. L. Milligan et K. Walters : « The effects of muscarinic cholinergic blockade upon shock-elicited aggression », *Pharmacol. Biochem. Behav.*, 1973, *1*, 4, pp. 389-394.
4. L. H. Allikmets : « Cholinergic mechanisms in aggressive behaviour », *Med. Biol.* (Helsinki), 1974, *52*, 1, pp. 19-30.
5. A. Soulairac, H. Lambinet et N. Aymard : « Action du précurseur de la sérotonine, le 5-hydroxytryptophane, sur la symptomatologie agressive », *Ann. Médic. Psychol.*, 1976, *2*, 3, pp. 459-463.

anxieux chez l'homme, ont constaté que le 5-hydroxytryp-
tophane, qui est le précurseur de la sérotonine et qui,
lorsqu'il est administré, augmente la teneur cérébrale de
cette dernière, diminue ses tendances agressives en abais-
sant également le taux d'élimination de la noradrénaline et
le taux plasmatique de cortisone. De même chez la souris
rendue agressive par isolement, le turn-over de la 5-HT
diminue et la pCPA, inhibiteur de la synthèse de la 5-HT,
accroît l'agressivité chez le rat et chez le chat, élevant de 45
à 50 p. 100 le pourcentage des rats muricides, le 5-
hydroxytryptophane antagonisant cette action. Cependant,
le rôle de la sérotonine nous paraît plus complexe. La
majorité des auteurs, en effet, s'accordent pour constater que
ce neuromédiateur intervient dans la dépression de l'activité motrice. En ce sens, il est possible qu'il intervienne en
diminuant l'activité motrice dans les comportements agressifs. Cependant, de nombreux faits nous montrent que dans
l'inhibition de l'action et l'angoisse, la sérotonine a un rôle
à jouer. Si bien que l'on peut admettre inversement que la
déplétion centrale en sérotonine puisse s'opposer à l'agressivité d'inhibition et à l'angoisse. La réserpine, qui provoque cette déplétion en sérotonine, diminue l'agressivité et
provoque une dépression. C'est un neuroleptique. Ces
exemples montrent combien il est difficile de passer d'un
niveau d'organisation biochimique au niveau d'organisation neurophysiologique pour atteindre le niveau d'organisation comportemental, lui-même en relation avec un
environnement. Un comportement qui peut paraître de
prime abord analogue à un autre comportement peut ne
pas avoir la même signification, les mêmes bases biochimiques et neurophysiologiques. On peut être dans l'impossibilité de continuer à mettre en jeu le MFB dont l'action
résulte d'un apprentissage de la gratification et cela du fait
de l'intrusion d'un rival. On comprend alors que l'agressivité de compétition s'accompagne d'une faible teneur du
cerveau en catécholamines, neuromédiateurs de MFB

(faisceau de la récompense et de l'autostimulation) et d'une libération abondante d'ACTH. On sait que la libération hypophysaire de cette dernière est diminuée par l'injection intraventriculocérébrale de norépinéphrine et de dopamine[1]. Par contre, l'ACTH facilite l'acquisition d'une réponse conditionnée d'évitement[2] ; elle va donc favoriser la fuite lorsque celle-ci est possible ou la lutte. Alors, si l'agressivité de compétition est récompensée, on peut penser qu'elle fera appel à nouveau au MFB et que, la dominance étant acquise, l'agressivité disparaîtra tant que cette dominance ne sera pas contestée. D'autre part, l'injection intraventriculocérébrale de carbachol, qui est un acétylcholinomimétique, provoque la libération du CRF et d'ACTH, et l'on sait que le PVS est cholinergique. Enfin, il faut souligner que si le dominant présente généralement un comportement non agressif tant que cette dominance n'est pas contestée, c'est, semble-t-il, parce que le dominé a appris à ses dépens, par la défaite, ce qui lui en coûterait de contester la dominance. Les échelles hiérarchiques étant établies, il y a *institutionnalisation* de l'agressivité par des règles de comportement entre le dominant et le dominé. Il n'y a donc plus besoin pour le dominant d'actualiser l'agressivité puisqu'elle est inscrite dans les rapports interindividuels du fait de la mémorisation de la victoire et de la défaite.

Nous devons signaler enfin que plusieurs études insistent sur les rapports entre une déficience cérébrale en acide gamma-aminobutyrique (GABA) et certaines formes d'agressivité, ainsi que sur la disparition de ces comportements quand on facilite l'action du système GABAergique central. Une molécule sortie de notre laboratoire (Laborit

1. W. F. Ganong : « Control of ACTH and MSH secretion. Report at the Congress on " Integration of endocrine and non endocrine mechanism in the hypothalamus " », Stresa, 1969.
2. De Wied : « Antagonistic effect of ACTH and glucocorticoids on avoidance behaviour of rats », *Excerpta med. Intern. Congr.*, séries III, n° 89 (2nd Congress on hormonal steroids).

et col., 1960), le gamma-hydroxybutyrate de sodium (GHB ou γ-OH) capable de traverser la barrière hématoencéphalique, ce que ne peut faire le GABA, se comporte comme un analogue du GABA dans de nombreux domaines, biologiques, pharmacologiques et comportementaux, sur l'agressivité en particulier.

CHEZ L'HOMME

VUE D'ENSEMBLE

Après ce qui vient d'être écrit, on conçoit que si l'homme est bien un animal, si son système nerveux central possède bien encore des aires cérébrales, des voies neuronales, que l'on retrouve dans les espèces qui l'ont précédé, en particulier chez les mammifères, il est cependant un être à part et le distingue des autres animaux l'importance anatomique et fonctionnelle de son cortex. Ce seul fait nous permet de dire que si les données de l'éthologie animale ont permis au cours de ces dernières décennies une meilleure compréhension du comportement humain, il est impossible de réduire ce dernier au comportement des animaux. Il faudra créer une véritable éthologie humaine. Puisque ce sont les zones associatives de son cortex qui constituent la caractéristique principale de l'homme, nous pouvons déjà en déduire que, fonctionnellement, ce qui distinguera le comportement humain du comportement animal sera l'imaginaire et le langage. Ce sont eux qui feront déboucher sur l'abstraction et le symbole.

Nous avons déjà précisé ce que nous entendions par imaginaire. Ajoutons qu'il ne s'agit pas simplement d'images, c'est-à-dire de modèles du monde extérieur s'incrustant dans les voies neuronales. Dans ce cas, l'animal est bien forcé de se faire lui aussi un modèle du monde dans lequel il vit, sans quoi il ne pourrait agir sur lui. Il ne pourrait tout simplement pas vivre. Le petit de l'homme se construit aussi des modèles neuronaux de son environnement, mais avant même qu'il apprenne à parler, il est capable d'associer ces images dans un processus créatif que nous avons dénommé « imaginaire ». Nous avons vu précédemment comment cette fonction permettait à l'homme de créer de nouveaux ensembles, différents de ceux qui lui sont imposés par le monde extérieur mais cependant construits avec les éléments, les traces que ce monde extérieur a laissés en lui. Nous avons déjà eu l'occasion de dire qu'avec le langage, il lui était possible de prendre une certaine distance par rapport à l'objet, et de passer du signe au symbole. Mais la langue est la pire et la meilleure des choses. Si le poète écoute Verlaine et se laisse séduire suivant l'art poétique de ce dernier par « la chanson grise où l'imprécis au précis se joint », on conçoit que, pour transmettre une information permettant à l'autre d'agir, la poésie n'est peut-être pas le moyen le plus efficace et le plus rapide. Ce qui ne lui enlève d'ailleurs aucune de ses qualités. L'attrait de la poésie vient sans doute du fait que c'est un excellent moyen thérapeutique de la névrose et de l'angoisse du poète et de ceux qui l'aiment. Elle fait renaître chez ces derniers des images et des affects extrêmement variés et nombreux, particuliers à chacun d'eux. Ils changent avec le vécu unique de chacun. Il est donc rare qu'on puisse tirer de cet impact une action commune. Si l'on veut entraîner des masses d'hommes dans une telle action, il faut faire appel aux affects les plus simples, pour ne pas dire les plus simplistes, aux automatismes culturels les mieux installés, aux discours les plus enfantins, et apparemment, mais apparemment seulement, les plus logiques. L'un d'eux parmi les plus généralisés, mais sans doute les moins respectés, concerne ce qu'il est convenu d'appeler les « droits de l'homme ».

Les notions de droits et de liberté

Existe-t-il quelque chose de plus changeant dans son contenu sémantique que les droits de l'homme, celui des peuples à disposer d'eux-mêmes, etc., et peut-on expliquer cette variabilité autrement que par l'idée changeante que les hommes se font d'eux-mêmes à travers les époques et les régions, certains hommes imposant d'ailleurs leurs opinions et leurs intérêts aux autres ? L'esclave du temps passé n'avait que le droit de travailler et de mourir. Sa force de travail, sa vie, constituant un capital qui ne lui appartenait pas, étaient entretenues aux moindres frais par son maître. L'OS des temps modernes est-il très différent ? Avoir « le droit de... » renvoie à une autorisation, une permission d'être et d'agir, sans que l'autre ne vienne contrecarrer notre projet. La notion de droit débouche alors sur celle de liberté. Puisqu'on parle des droits de l'homme, nous devons donc tenter de préciser d'abord ce que peut bien être un homme. C'est ce que nous avons essayé de faire au cours des pages précédentes, et que nous reprendrons au cours de celles qui vont suivre, de façon plus synthétique.

A cette question — qu'est-ce qu'un homme ? — on peut répondre, sans craindre de se tromper, que c'est un être vivant et les « amis des bêtes » vous diront que tout être vivant a des droits. Qui en a décidé ainsi ? L'homme bien sûr. La boucle se ferme sur lui-même. Arrivé au bout de la chaîne évolutive, il n'a pas trouvé de système englobant. L'individu se conçoit bien comme appartenant à un groupe, mais au-delà de l'espèce, il ne pouvait plus recevoir d'ordre d'un système organisé lui indiquant ce qu'il devait faire. Se croyant le roi de la nature, il s'est cru libre d'une part, nous allons y revenir, sans voir qu'il était entièrement dépendant, lui aussi, d'une biosphère. L'espèce humaine est la

seule à se croire libre parce qu'elle parle et que l'abstraction permise par le langage lui a fait croire à la réalité de ses
conceptions abstraites. L'animal, qui ne parle pas, est
soumis à des pressions de nécessité innombrables et s'il ne
s'y soumet pas, il disparaît en tant qu'individu et en tant
qu'espèce. L'homme, ignorant les règles à appliquer, les a
inventées. Il a construit un monde qui le dépassait, un
système englobant. Ce furent d'abord les mythes, les
religions, les morales, puis les structures étatiques, s'exprimant par des lois. Notons que, en agissant ainsi, il se
libérait en grande partie de l'angoisse qui, nous le savons,
résulte de l'inhibition de l'action, dont l'un des facteurs est
le déficit informationnel. A partir du moment où on lui
expliquait qu'il fallait agir d'une certaine façon, il pouvait
en grande partie occulter son angoisse. Il n'avait plus à
hésiter, à réfléchir avant d'agir : il appliquait les règles, ces
règles étaient évidemment aussi nombreuses et variées que
les mythes, les religions et les Etats ayant chacun sécrété
leurs idéologies et leurs lois. Les dernières en date sont
celles exprimées par ce qu'on appelle la Science, qui,
lorsqu'on leur obéit, après les avoir découvertes, permettent d'aller se poser sur la Lune, alors qu'Icare, après s'être
confectionné des ailes dans le dos, s'est écrasé sur le sol.
Les dieux étant morts, la science a pris leur place, c'est
d'elle qu'on attend l'immortalité. Malheureusement, nous
l'avons dit, jusqu'à une époque récente, elle se résumait à
la physique, avec son langage, les mathématiques, et la
biologie qui a commencé à faire comprendre à l'homme ce
qu'exprimait son langage est à peine aujourd'hui dans son
enfance. Encore devons-nous nous féliciter qu'elle soit
née ! Et comme l'évolution des sociétés modernes s'accompagne d'une anxiété croissante, d'un mal-être, dont les
causes sont si nombreuses qu'on le subit sans bien comprendre d'où il vient, on a tendance de plus en plus à
accuser la science du malheur actuel de l'humanité. Quand,
il n'y a pas si longtemps encore, des millions d'hommes en

quelques semaines mouraient de la peste par exemple, ou de quelque autre épidémie, c'était une catastrophe naturelle, comme celle résultant de l'éruption d'un volcan. On pouvait sans doute en accuser l'homme lui-même qui n'aurait pas été suffisamment fidèle aux lois que la divinité ou les divinités lui auraient imposées et l'on cherchait un bouc émissaire à sacrifier. Mais aujourd'hui, comme c'est l'homme qui a inventé la science, il se sent directement responsable des malheurs engendrés par cette nouvelle divinité, sans comprendre que ce n'est pas la science qui peut représenter un danger, mais l'utilisation qu'il en fait. La connaissance a toujours permis de mieux agir, d'agir plus efficacement, et donc, pour l'homme, de mieux se protéger. S'il n'en est plus ainsi aujourd'hui, c'est qu'une connaissance lui manque, celle des mécanismes contrôlant l'activité fonctionnelle de son système nerveux.

Qu'est-ce qu'un homme ? On vous dira que c'est un être conscient, mais qu'est-ce que la conscience et son complément, l'inconscience ? Où commencent-ils ? Nous avons déjà précédemment parlé d'inconscient et montré qu'il est peuplé de tous les automatismes qui enrichissent à chaque seconde nos états de conscience. C'est pourquoi il n'existe pas de conscience et d'inconscience mais des états de conscience et d'inconscience en perpétuelle évolution. Il serait sans doute trop long, et nous l'avons fait ailleurs, de dire comment nous concevons les mécanismes qui soustendent ces états de conscience chez l'homme. Rappelons simplement que tout automatisme est inconscient et nous avons pris précédemment l'exemple du pianiste. Si nous n'étions qu'automatismes, nous serions donc obligatoirement inconscients. C'est le sort de l'individu dans la majorité des espèces animales, encore que le terme de conscience soit bien difficile à définir et qu'il existe sans doute des états de conscience pour toutes les formes vivantes, mais que là encore ces états de conscience sont liés au niveau d'organisation atteint par chaque espèce.

D'autre part, si nous n'étions (ce qui est difficilement pensable, puisque la mémoire, telle que nous l'avons décrite, apparaît déjà chez l'être unicellulaire) nous-mêmes qu'à l'instant présent et un autre la seconde d'après, nous ne pourrions pas non plus être conscients. En effet, la conscience est d'abord le souvenir d'un schéma corporel qui est le nôtre et qui évolue dans le temps. La conscience ou les états de conscience ont donc besoin de la mémoire de nous-mêmes et de notre expérience du milieu qui nous entoure, alors que cette mémoire a comme principal résultat de créer en nous des automatismes, c'est-à-dire un monde inconscient. Je ne pense pas qu'on puisse dire qu'un enfant nouveau-né soit conscient. Il n'a sans doute pas encore accumulé suffisamment d'expériences dans son système nerveux pour utiliser un nombre suffisant d'automatismes acquis. D'ailleurs nous ne nous souvenons pas de nos premières années parce que nous n'étions pas conscients d'être. Ce schéma grossier aboutit à la notion que ce que l'on appelle chez l'homme la conscience consiste dans l'impossibilité pour lui d'être à la fois entièrement automatisé, donc inconscient, et entièrement aléatoire, donc également inconscient, ce qui serait le cas si ses systèmes associatifs ne faisaient qu'associer à l'instant présent les différentes informations sensorielles qui lui parviennent de lui-même et du monde qui l'entoure, sans référence au passé. Si l'on admet ces distinctions, l'homme sera d'autant plus conscient qu'il aura à sa disposition un plus grand nombre d'automatismes inconscients à fournir à ses zones associatives de façon à créer des structures nouvelles projetant dans l'avenir une action à réaliser. C'est cette possibilité de se délivrer, par l'imaginaire, des problèmes manichéens qui lui sont posés par son environnement qui lui a fait croire à sa liberté. Mais les automatismes moteurs, conceptuels, langagiers, qui coordonnent le bric-à-brac de nos préjugés, de nos jugements de valeur, qui n'ont de valeur que relative à l'intérêt et à la survie d'un homme ou d'un ensemble d'hommes dans un certain milieu à une certaine époque, ne peuvent prétendre servir à autre chose qu'à maintenir les échelles hiérarchiques de dominance qui ont jusqu'ici permis la cohésion des groupes sociaux. Ce sont donc des valeurs relatives et non point absolues.

L'homme est donc un être vivant dont l'histoire phylogénique et ontogénique est particulière. Comme pour tout être vivant possédant un système nerveux, ce dernier lui permet de contrôler ses conditions de vie en lui permettant d'agir sur l'environnement au mieux de son bien-être, car la seule raison d'être d'un être, c'est d'être. Ce n'est pas un droit cela, c'est une *obligation* sans laquelle il n'y aurait pas d'êtres vivants. Mais dès que cet organisme et le système nerveux qui l'anime se trouvent réunis avec d'autres organismes de la même espèce, les éléments les plus importants de son environnement, avant les « espaces verts et les terrains de planches à roulettes », ce sont les autres hommes. Il en résulte qu'il semble indispensable de connaître l'essentiel du fonctionnement de ce système nerveux qui va lui permettre d'entrer en contact avec les autres et de construire grâce à eux ce qu'on appelle « sa personnalité ».

Les besoins fondamentaux

Comme dans toutes les espèces, la partie la plus primitive du système nerveux va permettre à l'individu de répondre aux exigences de la collectivité cellulaire qui constitue son organisme. Il lui répondra de façon programmée par la structure même de ses régions primitives, en d'autres termes, de façon instinctive. Trois exigences fonctionnelles devront être assouvies, boire, manger, copuler. Ce sont les seuls instincts, tout le reste n'étant qu'apprentissage, à commencer par la façon dont il sera autorisé à les exprimer, apprentissage qui en conséquence dépend de la culture dans laquelle il se situe, ou, si l'on veut, qui est fonction de ce que nous avons nommé préjugés, lieux communs, jugements de valeur, d'un lieu et d'une époque. Boire, manger et copuler, toutes activités exigées par la survie de l'individu dans les deux premiers cas, de l'espèce dans le troisième, paraissent donc être non des droits, et pas seulement pour l'homme mais pour tout être vivant, mais une nécessité, si les individus, et avec eux l'espèce qu'ils représentent, doivent se perpétuer. L'âne de la noria, il faudra bien lui fournir l'avoine nécessaire au maintien de sa structure d'âne et à la compensation de l'effort thermodynamique dépensé pour monter l'eau du puits, si l'on veut continuer à bénéficier de sa force de travail. Mais cet âne n'a aucun droit, il rend service à son propriétaire. L'homme décide, notons-le au passage, de la possibilité de réaliser ces fonctions pour les autres espèces animales que la sienne et les meilleurs amis des bêtes, qui ne sont point agressifs, n'hésitent pas à faire châtrer leur « cher compagnon » pour qu'il ne souffre pas des affres d'une libido insatisfaite ; ce faisant, ils se jugent charitables. Quand j'écris que l'homme décide, je me comprends, car sa liberté, et nous allons y revenir, ne fait qu'obéir aux principes exigeants de son propre bien-être, il ne fait d'ailleurs pas autre chose à l'égard des enfants du Biafra, du Bangladesh, de l'Angola ou d'ailleurs, enfants décharnés, mourant de faim et couverts de mouches, qui n'ont qu'à se débrouiller comme ces « chers compagnons » pour trouver un bon patron qui les nourrisse, les tienne en laisse et organise chez eux la contraception, car ils ne lui sont pour l'instant d'aucune utilité.

« Nécessité » donc d'assouvir ses besoins fondamentaux et non pas « droits ». Or, cette nécessité n'est satisfaite que si, en échange, l'individu fournit au groupe social, et pour le maintien de ses échelles hiérarchiques de dominance, un certain travail participant à la production de marchandises. D'où l'apparition de la notion de *droit au travail*. L'inutile dans le cadre des lois du marché peut crever de faim et disparaître. On aurait pu aussi bien décréter qu'il existait un droit à la paresse, mais la propriété privée ou d'Etat, qui charpente les hiérarchies de dominance, n'y aurait plus trouvé son compte. On ne peut donc parler dans ce cas de droits de l'homme, mais du droit des dominants à conserver leur dominance. Nous verrons pourquoi nous en sommes arrivés là. Après avoir appris, depuis le début du néolithique, aux individus peuplant les zones tempérées du globe que leur devoir était de travailler à la sueur de leur front, cet automatisme culturel est si bien ancré dans leur système nerveux que ces individus exigent aujourd'hui le droit au travail, le droit de faire suer leur front pour la croissance du monde productiviste et le maintien des hiérarchies. Au chômage, ils souffrent de ne pouvoir réaliser l'image idéale que ce monde, qui en avait besoin, leur a donnée d'eux-mêmes.

Au passage, notons qu'une cellule hépatique isolée artificiellement et placée dans un milieu de culture, un milieu de survie où son alimentation lui est fournie à domicile, n'aura à fournir qu'un seul travail, son travail métabolique, c'est-à-dire le maintien de sa structure de cellule hépatique. Si on s'adresse à un être unicellulaire dans son milieu naturel, le plus souvent il devra se déplacer pour aller chercher les substrats énergétiques lui permettant de maintenir sa structure. Dans ce cas, il fournira donc un travail supplémentaire, un travail mécanique lui permettant de se déplacer dans son environnement. Il existe donc deux types de travaux aboutissant l'un et l'autre au même résultat : le maintien des relations existant entre les éléments de l'ensemble que constitue une cellule, le maintien de sa structure. Si maintenant nous observons la cellule hépatique précédente, dans sa situation originelle, au niveau d'un foie qui doit assumer de nombreuses fonctions, comme elle doit participer à la réalisation de ces fonctions, elle devra échanger des informations avec les autres cellules hépatiques, afin que cet ensemble cellulaire fonctionne de façon cohérente à la réalisation des fonctions de l'organe. Mais pour cela, cette cellule hépatique devra faire un travail supplémentaire, qui consiste dans la synthèse de certaines molécules, protéiques en particulier, qui vont se placer au niveau de sa membrane, là où elle prend contact avec les autres cellules hépatiques. Ces molécules vont permettre cet échange d'informations. Ce travail supplémentaire ne lui revient pas directement puisque, quand elle est isolée, elle peut très bien s'en passer. Mais par contre, ce travail supplémentaire est nécessaire au maintien de la structure de l'organe, celle du foie. Et c'est exactement ce qu'il est convenu d'appeler une « plus-value ». Ce terme, en changeant de niveau d'organisation, en passant de l'organe à l'organisme, puis de l'organisme aux groupes humains, a provoqué des réactions d'agressivité souvent considérables, des luttes révolutionnaires, alors qu'aucune structure, à quelque niveau d'organisation où elle se trouve, ne peut éviter la réalisation de cette plus-value. Ce n'est donc pas cette plus-value en elle-même qui est regrettable puisque nécessaire, mais le fait qu'au niveau d'organisation des sociétés humaines, la structure dont elle va permettre le maintien a toujours été une structure hiérarchique de dominance. Il serait donc plus juste de dire que cette plus-value n'est pas détournée par le capitaliste ou le bourgeois pour lui-même, puisqu'il la réinvestit généralement pour améliorer la production, mais qu'elle est utilisée surtout pour maintenir la « structure » hiérarchique, capitaliste ou bourgeoise, des rapports de production.

La mémoire et l'apprentissage

Si tout le reste n'est qu'apprentissage, il faut se poser la question, apprentissage de quoi ? Pour l'individu, il s'agit d'apprentissage entrepris dès la naissance de la façon dont il peut assouvir ses besoins fondamentaux dans l'ensemble social où le hasard de cette naissance l'a placé. Il apprend très vite l'agréable et le désagréable, le bien-être, l'équilibre biologique, le principe du plaisir, mais il découvre aussi très tôt que le monde qui l'entoure n'est pas lui ; dès qu'il a construit son schéma corporel, il a compris qu'il est seul dans sa peau, il découvre le principe de réalité, qui n'est pas toujours conforme à celui de son plaisir. Tous les mammifères comme l'homme possèdent un cerveau capable de mémoriser, d'apprendre et qui leur permet, en accumulant les expériences passées, d'éviter celles qui ont été désagréables si le cadre événementiel dans lequel elles se sont produites se représente. Cela permet aussi de reproduire la stratégie d'action qui a apporté la satisfaction, le plaisir. Dans le premier cas, la fuite ou, si elle est impossible, la lutte permettent d'éviter la punition, dans le second, l'acte gratifiant sera renouvelé. Mais pour cela, il faut que l'objet ou l'être gratifiant restent à la disposition de l'individu. Si un autre individu a fait l'expérience de la gratification obtenue par l'usage du même objet ou du même être, il y aura compétition et apparition d'une hiérarchie : un dominant qui gagne et s'approprie et un dominé qui perd et se soumet. Il n'existe donc pas d'instinct de propriété inné, mais apprentissage par un système nerveux du plaisir éprouvé par le contact et l'usage des objets et des êtres qu'il tente dès lors de conserver pour lui. Comment, dans ce cas, inscrire la propriété comme un droit naturel de l'homme, alors qu'il ne s'agit que d'un apprentissage culturel ? Certaines cultures ne l'ont jamais connu. De même, si l'on fait appel à une loi naturelle, en parlant de défense du territoire, faut-il du moins considérer que, si ce territoire était vide, il n'y aurait pas besoin de le défendre. Aussi est-ce bien parce qu'il contient des objets et des êtres gratifiants qu'on le défend contre l'envahisseur. Mais d'une part, si l'homme est vraiment le roi des animaux et la terre son royaume, est-il nécessaire qu'il agisse comme ses frères « inférieurs » ? Pourquoi appelle-t-il leur exemple à la rescousse quand il peut ainsi soutenir par un discours logique ses pulsions les plus primitives et, quand l'acte ne lui convient pas, pourquoi parle-t-il de se « ravaler au rang des bêtes » ? En réalité, il n'y a rien de plus trivial que la notion, et non pas l'instinct de propriété individuelle et familiale, de groupes, de classes, d'Etats, etc. Allons un peu plus loin dans l'analyse, et nous constaterons qu'un territoire, un espace écologique où vit une collectivité humaine, contient avant tout une *structure sociale* à laquelle les hommes ont donné naissance. Cette structure sociale a toujours été, depuis le début du néolithique, une structure sociale de dominance. Nous venons de voir pourquoi. Si bien que mourir pour la patrie, c'est d'abord mourir pour que cette structure sociale se perpétue, se reproduise, que les rapports de dominance se conservent. Il est curieux de constater que toutes nos lois ne servent en définitive qu'à défendre plus ou moins directement la propriété, comme si celle-ci était un droit de l'homme.

Donc, apprentissage des règles sociales, des récompenses (salaires, promotion sociale, décorations, pouvoirs) et des punitions si ces règles sont transgressées ; les droits de l'homme ne sont plus alors que les droits de l'ensemble social à maintenir ses structures, quelles qu'en soient les règles d'établissement à l'est, à l'ouest ou au centre, à droite ou à gauche. L'Etat, c'est-à-dire la structure hiérarchique (théocratique, aristocratique, bourgeoise, bureaucratique, technocratique), est omniprésent. L'Etat s'infiltre partout dans son abstraction langagière. On parle ainsi du droit des peuples à disposer d'eux-mêmes, mais qu'est-ce qu'un peuple, une nation ? Sont-ils représentés par autre chose que par un groupe humain, établi depuis des millénaires dans un espace géoclimatique particulier et dont le comportement a été façonné par ce cadre, qui l'a conduit à l'établissement d'une culture, c'est-à-dire d'un comportement et d'un langage ? Alors il existe une nation bretonne, basque, corse, occitane. Et comme il n'est plus pensable pour ces ethnies de vivre en autarcie, il faut bien qu'elles s'intègrent dans un système englobant. Mais alors pourquoi ne pas les laisser décider elles-mêmes de la modalité des relations économiques, culturelles ou politiques qu'elles veulent entretenir avec cette structure abstraite qu'on appelle l'Etat et qui, nous l'avons vu, n'est guère plus que l'expression institutionnalisée d'une hiérarchie de dominance ? Pourquoi apprendre aux petits Noirs du Sénégal, comme c'était le cas il n'y a pas encore si longtemps, que leurs ancêtres étaient les Gaulois, au moment où l'on interdisait l'emploi du gaélique aux Bretons ? Pourquoi, lorsque la dominance est passée des aristocrates aux bourgeois, a-t-il fallu cinq cent mille morts dans la chouannerie vendéenne pour mieux lui infliger la liberté, l'égalité et la... fraternité ?

L'imaginaire et la créativité

La seule caractéristique d'un cerveau humain est de posséder les zones associatives particulièrement développées qui permettent, aidées par l'abstraction du langage, une combinaison originale des voies nerveuses codées, engrammées antérieurement par l'expérience. Un enfant qui vient de naître, répétons-le, ne peut rien imaginer parce qu'il n'a encore rien appris. La seule caractéristique humaine est ainsi le pouvoir imaginaire, celui de pouvoir mettre en forme des structures nouvelles qu'il pourra par la suite confronter à l'expérience. C'est là la seule liberté, si l'on tient à conserver ce mot dangereusement suspect. Combien de millions d'hommes ont-ils été assassinés en son honneur ?

Quand on a compris que ce que l'on nomme ainsi représente seulement, pour un individu ou un ensemble

humain, la possibilité de faire aboutir son projet, c'est-à-
dire l'expression motrice ou langagière de ses déterminis-
mes, sans que le projet de l'autre vienne le contrecarrer, on
comprend aussi que la recherche des droits de l'homme soit
si difficile à délimiter, à conceptualiser et à institutionnaliser. Il semble que ce soit une donnée immédiate de la
conscience, comme on dit, puisque l'ignorance des déter-
minismes, des lois, des structures complexes en rétroaction
dynamique, établies par niveaux d'organisation, au sein des
organismes vivants, nous fait croire à la liberté. Elle ne
commence qu'où commence notre ignorance, c'est-à-dire
très précocement. Mais ce que nous savons déjà de ces
mécanismes complexes, qui, de la molécule au comportement humain en situation sociale, animent notre système
nerveux, dirigent notre attention, établissent nos processus
de mémorisation et d'apprentissage, eux-mêmes fonde-
ments biochimiques et neurophysiologiques de notre affectivité, de nos envies simplistes, de notre imaginaire créateur, de ce que recouvrent des mots comme pulsion,
motivation, désir, et qui restent des mots si on ne tente pas
de leur fournir des bases expérimentales, à chaque niveau
d'organisation phylogénique et ontogénique, permet de se
demander ce qui reste de notre liberté. Ce n'est guère plus
sans doute que la possibilité pour un cerveau humain,
motivé inconsciemment par la conservation de la structure
organique, de son bien-être, de son plaisir, motivation
contrôlée par l'apprentissage également inconscient des
lois culturelles lui infligeant l'application d'un règlement de
manœuvre avec récompense et punition, de pouvoir
parfois, si ces automatismes ne sont pas trop contraignants
et si l'on sait qu'ils existent, ce qui permet de s'en méfier,
d'imaginer, grâce à l'expérience déterminée par le vécu
antérieur inconscient, une solution nouvelle aux problèmes
anciens. C'est peu sans doute mais c'est peut-être déjà
beaucoup. C'est le moyen de fuir le carcan de la société
telle qu'elle est, en ne lui fournissant que ce qu'elle

demande, c'est-à-dire des marchandises. En dehors de cela, la notion de liberté nous paraît dangereuse, car elle débouche sur la notion de mérite qui doit être récompensé et qui ne voit que ce mérite est celui du conformisme le plus total aux lois institutionnalisées par les structures hiérarchiques de dominance? Elle débouche aussi sur la notion de responsabilité. Tout le monde sait que ce sont les patrons et les cadres qui sont responsables. L'ouvrier n'est pas libre et ne peut être récompensé qu'exceptionnellement par une ascension hiérarchique, l'accession à un prétendu pouvoir qui n'est en fait, une fois encore, que la soumission à une structure abstraite, à savoir la finalité productiviste d'une société marchande qui lui permettra d'établir et de maintenir les hiérarchies de dominance établies sur le degré d'abstraction atteint dans l'apprentissage de la formation professionnelle. D'où les droits de l'homme à la connaissance et à la culture, connaissance technologique avant tout car avec les formules mathématiques et physiques, on construit des machines, qui font beaucoup de marchandises en peu de temps. La production est le moyen d'établir — et la protection par des brevets en fait foi — la dominance interindividuelle, inter-groupes, internationale et inter-groupes de nations. Les rapports franco-américains récents à l'occasion du gazoduc russo-européen en sont un exemple. L'enseignement n'est jamais que la façon de faire pénétrer, au mieux de son ascension hiérarchique, le petit de l'homme dans un système de production de marchandises et d'armes de plus en plus efficaces et meurtrières. Pourquoi un droit de l'homme ne serait-il pas de refuser de s'en servir et d'aller mourir à la guerre? Parce que sans doute toutes les structures sociales de dominance seraient appelées à disparaître. La biologie est encore trop jeune pour que l'enseignement soit autre chose que l'enseignement technique permettant à ces dominances de se perpétuer. Plutôt que la table de multiplication et le problème des robinets, ne serait-il pas préférable de commencer très tôt à transmettre à un enfant ce que nous savons de l'homme afin qu'il se connaisse et essaie de se comprendre, de comprendre les autres, de se méfier de tous les discours logiques qui, depuis toujours, lui ont parlé sans grand succès de l'amour, de la tolérance et, depuis peu, de la convivialité ? La logique du discours n'est pas celle de la biologie ni de la physiologie du système nerveux qui le prononce, celle de notre inconscient. Et pour cet homme divisé en deux, moitié productrice, moitié culturelle, le droit à la culture n'est le plus souvent que le droit de participer aux signes de reconnaissance de la fraction dominante, à une culture devenue elle-même marchandise, permettant la reproduction de la structure sociale, calmant les frustrations, permettant à la moitié productrice de l'individu de mieux poursuivre son aliénation, grâce à la récompense de l'autre moitié. La notion de liberté est finalement dangereuse, parce qu'elle aboutit à l'intolérance et l'agressivité. Détenant forcément la vérité et l'ayant choisie « librement », si l'autre n'est pas de notre avis, s'il a choisi aussi « librement » l'erreur et s'oppose à la réalisation de notre vérité, il faut le tuer, et la liberté trouvera toujours un alibi logique aux meurtres, aux tortures, aux guerres, aux génocides. L'instinct de mort freudien, à notre avis, est là, dans le langage humain justifiant, déculpabilisant, et qui absout tous les crimes des hommes contre l'homme, souvent au titre de ses droits.

Le droit pour l'individu ou pour les groupes sociaux à exprimer « librement » leurs pensées, en d'autres termes à communiquer le résultat de leur déterminisme et de leur expérience inconsciente du monde, est, sans doute, un droit naturel qu'il est utile de conserver si l'on désire permettre l'évolution culturelle de l'espèce par la combinatoire conceptuelle. On sait que c'est grâce à la combinatoire génétique, grâce à la sexualité, que l'évolution biologique a été possible. Au stade où en est parvenue l'espèce humaine, son évolution ne peut résider que dans une *combinatoire des concepts* en sachant qu'aucun d'eux n'est globalisant, ne débouche sur une vérité et que chacun d'eux n'exprime qu'un sous-ensemble d'un ensemble, la « réalité », que nous ne connaîtrons jamais, sous-ensemble qui résulte encore de la spécialisation et de l'analyse. Mais il faudrait surtout que cela ne débouche pas sur l'action, action fanatique, agressive, dominatrice, sûre de son bon droit. Or, comment y parvenir dans l'ignorance de ce qui anime le discours, des mécanismes qui le font naître ? Si le *meurtre intraspécifique* n'existe pas chez l'animal, c'est sans doute parce que l'animal ne parle pas.

Dans le monde présent, les dominances sont établies sur la puissance des armes et la perfection de la technique, considérée comme le seul progrès, la seule raison d'être de l'espèce. Ceux qui pour des raisons géoclimatiques millénaires n'ont pu en profiter, individus ou ethnies, se voient dépouillés du droit à la propriété. Leur seul droit est de se taire ou de tenter de suivre le même chemin que ceux qui les dominent : courses aux diplômes, à la technologie, course à l'industrialisation. Quand ce chemin leur paraît trop long à parcourir, pris comme tout névrosé dans un système manichéen qui interdit à la pulsion de se réaliser sans enfreindre les lois culturelles, c'est parfois l'explosion agressive, le retour à l'action, même inefficace, puisque leur langage n'est pas entendu : ce sont alors les attaques à main armée, les prises d'otages, etc. La bonne conscience de la société productiviste crie au scandale, appelle à la répression, aux règles éthiques et morales des droits de l'homme. Mais le poète français Fernand Gregh avait écrit, il y a quelques années : « Il n'est pas de méchants, il n'est que des souffrants. »

Dans cet aperçu très schématique, où peuvent bien se situer les droits de l'homme ? Son droit le plus strict est de vivre, de vivre sans souffrir, mais faut-il encore que les autres, les plus forts, lui en donnent l'autorisation. Il me semble alors qu'*aussi longtemps que les matières premières,*

*l'énergie et surtout l'information technique sans laquelle les
deux premières sont inutiles ne seront pas la propriété de tout
homme sur la planète, l'institutionnalisation langagière des
droits de l'homme ne lui permettra pas d'assurer son droit à la
vie pour lequel il ne devrait avoir rien à fournir en échange.*
Utopie. Bien sûr. Mais en dehors d'elle, l'histoire ne fera
que reproduire l'institutionnalisation par les individus, les
groupes humains, les Etats dominants, des droits des
dominés à le demeurer. Ils leur expliqueront sans doute
que c'est pour le bien de l'humanité tout entière, et les
dominés arriveront bien souvent à le croire, en faisant tous
leurs efforts pour partager les mêmes droits, ceux de la
dominance. C'est quand on l'a perdue que l'on comprend
ce qu'est la liberté, dit-on. C'est vrai. Mais il n'y a pas que
des prisons avec des barreaux, il y en a de beaucoup plus
subtiles dont il est difficile de s'échapper parce qu'on ne
sait pas qu'on y est enfermé. Ce sont les prisons de nos
automatismes culturels qui châtrent les processus imaginaires, source de la créativité, qui ramènent l'homme au statut
biologique d'un mammifère qui parle et fait des outils.
C'est peut-être parce que l'imaginaire est la clef qui permet
de fuir toutes les prisons que l'homme en bande n'a qu'un
souci, celui de le faire disparaître pour maintenir la
cohésion hiérarchique du groupe. L'heure n'est pas encore
venue où l'ouvrier de la dernière heure aura le droit d'être
« payé » comme les autres.

L'utilisation des mass media, qui, paraît-il, « infor-
ment », ne permet à l'information que de s'écouler toujours dans un seul sens, du pouvoir vers les masses. La
seule différence entre l'Est et l'Ouest consiste en ce que,
dans le premier cas, il s'agit d'un pouvoir dogmatique, qui
n'a pour imposer son discours que la coercition et le crime
d'Etat sur une vaste échelle, alors que, dans le second,
l'argent permet de réaliser, de façon subtile et inapparente,
l'automatisation robotique des motivations, de créer des
envies, de manipuler affectivement l'opinion sans que la

finalité du système apparaisse jamais au grand jour. Ceux-là mêmes qui sont chargés d'informer le font le plus souvent à travers les propres verres déformants de leur affectivité et de leur intérêt narcissique et promotionnel. D'ailleurs, l'objectivité, où se cache-t-elle ? Regardez un accident de la circulation : dix personnes sont présentes et y assistent. Chacune vous décrira un aspect différent de l'événement, suivant son vécu antérieur, ses intérêts de classe, son âge, son sexe et un discours logique donnera raison ou tort aux participants, en toute objectivité. Même les images photographiques et cinématographiques ne sont pas objectives, car tout le monde sait bien qu'elles dépendent de la place de l' « objectif » et de l'affectivité inconsciente du cinéaste qui soustrait toujours « objectivement » un sous-ensemble de l'ensemble qu'il voit. Si le cinéma était objectif, ce ne serait plus un art. Mais il est, comme notre langage logique, toujours parfaitement objectif à travers la déformation de notre affectivité. Dans un laboratoire, il est parfois possible de mettre au point un protocole qui pourra être reproduit dans d'autres laboratoires et aboutira dans un nombre de cas statistiquement significatif aux mêmes résultats. Dans ce cas, ce résultat est au moins fiable, il trouve son origine dans une hypothèse de travail généralement logique et « objective » sans doute, mais devra passer par le contrôle de l'expérience pour assurer sa validité. Et bien souvent les hypothèses de travail les plus harmonieuses, les plus logiques, ne sont pas confirmées par l'expérience. Et même lorsqu'elles le sont, nous savons aussi qu'elles ne sont qu'un aspect très fragmentaire, très passager d'un ensemble dont la structure est si complexe que ces hypothèses se trouveront très rapidement englobées par des hypothèses nouvelles, plus globalisantes, plus explicatives du monde qui nous entoure, mais qu'elles-mêmes ne seront encore que parcellaires. La science, c'est-à-dire l'homme, n'avance que pas à pas et la prospective, la projection d'un scénario dans le futur est

une conception qui n'a pas de place dans le grand laboratoire que constitue, pour l'homme, la biosphère. Il ne peut
y pratiquer qu'une proximospective tâtonnante, maladroite
bien souvent, mais qui au moins lui fait comprendre sa
faiblesse et le guide vers l'humilité. Or, dans notre vie
quotidienne, nous sommes toujours persuadés de l'objectivité de notre vision des événements et certains que notre
discours logique doit aboutir, à partir de cette objectivité, à
la Vérité. Dans ces conditions, le droit à l'information, que
devient-il ? Car pour agir, il faut être informé de façon
temporairement complète et contradictoire et savoir que
notre prétendu choix en définitive est conditionné par tous
nos automatismes et notre passé inconscient, nos envies
refoulées, nos désirs inassouvis. Savoir qu'il est relatif, qu'il
ne commence à prendre un sens que si l'action qu'il
commande est valable pour l'espèce humaine tout entière
et non pour un sous-ensemble de celle-ci, ou pour un
gourou ou un homme ou un groupe d'hommes providen-
tiels ou tout simplement pour notre satisfaction narcissique. Je sais bien que toute idéologie est toujours présentée
comme la seule valable pour toute l'espèce humaine. Et les
plus récentes se disent fondées sur des bases scientifiques,
quand elles ne prétendent pas être la science elle-même. Le
marxisme, le libéralisme, l'eugénisme, le racisme, pour ne
prendre que ces exemples, parlent toujours au nom du
bonheur et de l'évolution de l'espèce. Nous-même dans
l'instant présent pouvons donner à croire que nous tentons
aussi de vouloir imposer notre point de vue. Nous ne
souhaitons pas imposer quoi que ce soit, mais nous
voudrions fournir les raisons qui font que nous souhaitons
qu'on ne nous impose rien.

S'il en était ainsi, jamais une action humaine ne pourrait
déboucher sur la violence. Malheureusement, si vous savez
que vous ne savez rien, l'autre sait qu'il sait et il profitera
de votre non-violence. Alors le droit le plus fondamental
de l'homme ne serait-il pas d'être informé, non pas de ce

qui se passe autour de lui, mais avant tout de ce qui se passe en lui ? Et comme il n'est qu'un point unique de convergence des autres, les vivants et les morts, cela lui permettrait alors de les mieux comprendre, comme il se comprendrait mieux. Il pourrait peut-être aussi mieux utiliser ses processus imaginaires à la création d'un monde humain nouveau où les droits de l'homme ne seraient pas ceux d'un individu, d'un groupe social quelle qu'en soit l'importance, mais ne seraient autres que ceux de l'espèce humaine. Avant de terminer cette approche schématique ou cette vue d'ensemble des notions générales qui vont nous permettre de traiter l'agressivité chez l'homme, nous voudrions une fois de plus insister sur le fait que nous devrons l'aborder maintenant sur le plan des niveaux d'organisation propres aux sciences humaines, celui de l'individu, celui des groupes sociaux, en partant de la famille et en terminant au niveau de l'Etat et de celui qui n'a pas encore été dépassé, celui entre Etats et blocs d'Etats. Chacun de ces niveaux d'organisation constitue une entité en lui-même, un individu, un sous-ensemble à l'intérieur d'un système. Nous devons donc envisager la violence interindividuelle dans ses formes les plus simples, dyades, triades, puis la violence entre les Etats et la violence entre les blocs d'Etats. La difficulté de l'étude de l'agressivité chez l'homme résulte justement de l'existence de ces niveaux d'organisation, car l'enjambement de l'un à l'autre oblige chaque étude, à quelque niveau d'organisation où elle se situe, à faire appel aux structures sous-jacentes et aux structures englobantes. La difficulté, en d'autres termes, consiste dans le fait qu'il faut passer de l'étude d'un régulateur à celle d'un servomécanisme, en essayant de réunir un maximum d'informations sur les relations existant entre les deux, c'est-à-dire entre un système englobé et un système englobant, lui-même englobé.

NIVEAU D'ORGANISATION INTERINDIVIDUEL. LA CRIMINALITÉ

Nous devons, pour l'aborder, faire appel à l'essentiel de ce que nous avons dit dans les chapitres précédents, en particulier sur l'établissement du schéma corporel et du narcissisme primaire, sans quoi il est impossible de comprendre ce qui gouverne les comportements entre deux individus, ou entre un individu et le groupe social qui l'entoure.

Nous savons que, lorsqu'un petit de l'homme a réalisé son schéma corporel et que, sortant doucement de son inconscience, il s'aperçoit qu'il est isolé du monde qui l'entoure, qu'il est seul au monde, il a besoin d'être aimé de façon à retrouver ce bien-être originel dont il jouissait encore, au sein de son moi-tout. Ce qu'il peut imaginer pour son bien-être, c'est-à-dire son désir, bien que l'expérience qu'il a du monde soit encore très restreinte et que ses zones associatives ne pourront travailler que sur un ensemble encore fragile, son désir de toute façon, quel qu'il soit, aussi pauvre qu'il puisse encore être, va rencontrer le principe de réalité, c'est-à-dire un monde qui ne lui obéit pas. L'angoisse d'être seul et la non-conformité du monde à ses désirs vont lui faire rechercher une façon d'occulter son angoisse, de ne plus se sentir seul. Il va tenter de faire pénétrer l'autre dans le monde de ses désirs. Et si cet autre répond à ses besoins fondamentaux et à ses désirs, il va, par réenforcement, essayer de se l'approprier et de le garder pour lui. C'est là, semble-t-il, le mécanisme du narcissisme primaire qui nous semble être la motivation fondamentale à l'action de toute personnalité humaine.

Mais, si l'on admet ce schéma, deux conséquences vont immédiatement en découler : la première est l'image que va se faire l'enfant, puis l'adulte, de lui-même et la deuxième est le comportement que l'enfant va tenter d'imiter pour obtenir de son environnement le maximum d'accès au bien-être.

Il va tenter d'abord de réaliser un comportement qui, du moins le pense-t-il, lui permettra de mieux se faire aimer par l'autre, par son environnement immédiat. Mais il semble évident que ce comportement ne peut être que celui que les autres vont construire en lui, celui en particulier qu'on attend de lui ou celui au contraire qu'il va construire en réaction à celui qu'on attend de lui. Pour attirer l'attention sur lui, il n'est pas toujours efficace d'être conforme, il est quelquefois utile d'être contestataire. Très tôt, l'enfant va se construire pour lui-même l'image qu'il va donner de lui-même aux autres mais qui résultera forcément de son rapport aux autres, rapport qui aura déjà été fortement élaboré pendant la période antérieure, celle que nous avons appelée de l'empreinte, où il ne savait pas encore qu'il était. Tout le monde connaît ces séances autour du pot où la famille attend que le bébé ait fait sa jolie « cro-crotte » et où tout le monde s'extasie lorsqu'elle est faite. « Qu'elle est belle, que le bébé est mignon », etc. Mais très vite, si l'entourage n'a pas répondu aux désirs de bébé, bébé deviendra constipé, car c'est un de ses rares moyens de coercition, avec les pleurs et le refus de l'alimentation. Issue de cet apprentissage qui résulte du contact avec son environnement immédiat et que cet environnement va créer au fil des jours chez l'enfant, l'image qu'il doit donner aux autres est forcément aussi celle qu'il aura de lui-même. Elle n'est pas simple, elle n'est jamais stéréotypée ; d'innombrables facteurs interviennent pour la réaliser. Bien sûr, elle est située à l'intérieur d'une socioculture et de grands schémas généraux l'encadreront. Mais finalement, elle sera unique pour chacun de nous. Chez le petit garçon par exemple, l'entourage attend qu'il donne de lui l'image prototype du mâle. Toute son éducation va s'orienter vers l'apprentissage de ce comportement viril, alors que chez la petite fille, c'est au contraire un comportement de séduction et d'intérêt pour les choses du foyer que l'on attend d'elle et qui sera exigé par l'environnement. Les jeux sont différents pour le petit garçon et la petite fille, jeux qui facilitent l'apprentissage de la conduite qu'ils devront suivre à l'âge adulte. Cependant, dans ces cadres généraux, les facteurs individuels sont si nombreux qu'il en résultera une personnalité unique pour chaque individu. Mais cette personnalité unique, en s'inscrivant dans le niveau d'organisation qui l'englobe, le niveau d'organisation social, devra se conformer au schéma général de cette société, d'un lieu ou d'une époque pour prendre sa place, grâce aux automatismes qui auront été enseignés, dans la structure hiérarchique de dominance. C'est ainsi que la famille, le groupe social qui va assurer l'éducation première de l'enfant, et qui désire généralement son bonheur, pensera que pour qu'il le réalise, il devra assurer au mieux sa promotion sociale, chercher à s'élever dans ces échelles hiérarchiques et établir sa dominance. D'autre part, les parents qui, plus ou moins consciemment, traînent en eux l'angoisse de la mort pensent que l'enfant va leur permettre de survivre. Ils vont donc souhaiter qu'il les reproduise le plus exactement possible, tout en exploitant mieux qu'ils ne l'ont fait, grâce à leur expérience transmise, les qualités et les défauts qu'ils lui ont légués. Comme si ces qualités et ces défauts étaient un don inné, transmis génétiquement, comme la couleur des yeux et la forme du nez et non pas l'image idéale qu'ils se font d'eux-mêmes et qui fut l'une des premières que l'enfant eut sous les yeux. Nous allons donc assister à une combinatoire entre le narcissisme de l'enfant à la recherche de son moi-tout perdu, et celui des parents essayant à travers l'enfant de tromper la mort. Quand on imagine ce que la combinatoire génétique peut laisser subsister des caractéristiques des parents d'une époque après quelques générations, on peut rester sceptique sur l'efficacité de ce désir inconscient. On peut aussi s'étonner de ce narcissisme des parents qui considèrent qu'il est utile de laisser une image d'eux-mêmes aux générations à venir, comme si l'être unique qu'ils ont été présentait un intérêt suffisant pour être reproduit et conservé à travers le temps. Ce qui se produit est un homme ou une femme, avec les caractéristiques de l'espèce, et malheureusement aussi ce qu'un tel comportement reproduit, c'est une culture, dont le seul intérêt devrait être de se transformer, c'est-à-dire d'évoluer.

Les premiers êtres avec lesquels l'enfant va donc entrer en contact sont ses parents, qui constituent pour lui la force, le pouvoir et la sécurité. Pour lui qui ne sait rien, ils savent, et pour contrôler cet environnement incompréhensible qui l'entoure, pour pouvoir assurer par ce contrôle son bien-être, son plaisir, il peut utiliser deux moyens : son expérience progressive personnelle, par succès et échecs, résultant des actions qu'il pourra entreprendre sur cet environnement et surtout, dans l'angoisse qui l'étreint du fait du déficit informationnel qu'il éprouve à l'égard de cet environnement incompréhensible, l'exemple des parents qu'il voit contrôler devant lui ce même environnement. Pour s'éviter les échecs auxquels il constate que se heurte fréquemment son expérience personnelle, il va donc essayer de les imiter. C'est sans doute là l'origine, à partir des pulsions qui le poussent à agir, du *mimétisme* : connaître par expériences personnelles est une chose, mais reproduire un comportement dont l'observation montre qu'il est efficace court-circuite l'acquisition de la connaissance et permet d'arriver plus directement au but. Les parents savent bien que leur comportement est l'aboutissement d'un long apprentissage où leur expérience personnelle est ajoutée à celle que la génération précédente leur a transmise.

Mais nous avons suffisamment insisté maintenant sur le fait que cet apprentissage n'est finalement que celui de la

façon d'établir sa dominance suivant des moyens différents
au cours des millénaires. L'éducation sera donc soumise à
la structure de la société globale et malgré l'infinie diversité
des individus, elle risque de reproduire indéfiniment les
mêmes comportements. Ce mimétisme que nous venons
d'aborder, qui n'est qu'un des moyens de faire fonctionner
avec le plus de chances de succès le MFB, cet ensemble
neurophysiologique contrôlant l'équilibre biologique et le
plaisir, a permis à René Girard d'expliquer à sa manière
l'œdipe freudien. Pour lui, cet œdipe n'est pas la conséquence d'une pulsion libidineuse de l'enfant pour la mère,
cet objet gratifiant qui est sorti de son moi-tout pour entrer
dans le monde de la réalité et qu'il voudrait bien réintro-
duire dans son monde indivis et premier, celui où ses
pulsions étaient satisfaites, sans rencontrer celles des
autres. Pour Girard donc, l'œdipe résulterait, pour le
garçon, du mimétisme à l'égard du père qui, dans notre
jargon personnel, s'attribue préférentiellement l'objet gratifiant : la mère. Ainsi, le père désignerait à l'enfant
l'objet de son désir. Qu'en est-il pour la fille ? Nous n'avons
pas notion que René Girard en parle et nous ne prendrons
pas sa place dans un essai d'interprétation. De toute façon,
pour nous, l'agressivité œdipienne du fils contre le père, de
la fille contre la mère, résulte avant tout de l'apprentissage
et de la gratification qui résulte du contact avec l'objet
gratifiant, mère ou père ; du besoin en conséquence de le
garder pour soi, besoin qui aboutit à la compétition avec le
rival qui veut se l'approprier. Pour nous, il est probable que
la généralité de l'œdipe vient du fait que l'apprentissage de
la gratification s'établit à l'époque où l'individu n'a pas
encore conscience d'être dans un milieu différent de lui, la
période de l'empreinte et, en conséquence, qu'il semble
sortir du néant ou de l'innéité, puisqu'il sort d'un être qui
n'avait pas encore conscience d'être, au moment où il s'est
créé.
Nous avons également insisté sur l'importance du lan-

gage à l'origine de l'agressivité humaine, langage qui fournit un discours logique, permettant d'expliquer des comportements, dont la seule logique est celle de notre inconscient. Un travail récent de Jean-Michel Bessette [1], exprimé dans un livre, montre que le langage intervient aussi d'une façon fondamentale dans l'agressivité individuelle. Nous avons longuement développé cette notion qu'un système nerveux nous servait à agir, et que l'action contrôlait notre environnement. Et J.-M. Bessette montre que le langage, comme nous l'avions déjà exprimé, est lui-même une action qui permet d'agir sur l'environnement social. Mais il montre surtout, par des études statistiques officielles extrêmement édifiantes, que le crime est essentiellement le fait des classes sociales les plus défavorisées, celle dont la niche environnementale ne leur permet pas d'apprendre à parler facilement. Pour lui, le geste criminel est lui-même une parole, la parole de la misère le plus souvent. Ainsi, dit-il (p. 100), « le discours exerce non seulement une fonction cathartique, mais il est aussi pôle d'intégration. Il véhicule et distille les valeurs intégratrices de la société, car la dramatisation des assises remplit une fonction bien précise : rendre intelligible un comportement aberrant, un comportement qui menace l'ordre social et, par là même, régénérer les valeurs sur lesquelles se fonde cet ordre social ». Et plus loin : « Des mécaniques verbales différentes régissent chez le personnel justicier et chez le prolétaire criminel des psychologies différentes. Les hommes ont la psychologie du langage qu'ils apprennent mais cela n'est pas l'affaire de la justice. » Ailleurs encore : « Le criminel n'est-il pas, lui aussi, le spectre de ce jardin où l'homme est appelé à vivre, jardin envahi par le béton de la raison techno-industrielle ? » Les conclusions des statistiques abondantes émanant d'organismes officiels que four-

1. J.-M. BESSETTE (1982) : *Sociologie du crime*, coll. Le sociologue, PUF.

nit J.-M. Bessette laissent peu de place à la discussion.

Ainsi ce narcisse qui s'exprime plus ou moins bien et qui essaie de trouver l'autre à travers l'image idéale qu'il se fait de lui-même, ce narcisse qui trouvera cet autre d'autant plus facilement qu'il pourra s'exprimer avec plus d'efficacité sous une forme langagière dans ce besoin d'être aimé par l'être gratifiant, et qui cherchera à se l'approprier, à le conserver pour lui, à le soustraire aux autres, ce narcisse, dans le rapport même le plus simple, celui que constitue le rapport sexuel, va s'exprimer effectivement par la recherche d'une dominance. Elle s'exprime différemment chez l'homme et chez la femme, et ce n'est pas notre propos d'essayer de savoir lequel, en fin de compte, domine. Mais parfois, la recherche de cette dominance dyadique pousse à se procurer un statut social hiérarchique privilégié. La motivation première se trouve donc au niveau de la dyade mais elle aboutit à un comportement situé au niveau d'organisation de la société. Dans ce cas, la volonté d'imposer sa dominance au plus grand nombre d'individus vient du besoin d'abord de se rendre intéressant pour l'autre de la dyade. On observe là un passage du niveau d'organisation de l'individu à celui du groupe. La recherche de la dominance opère à partir de facteurs extrêmement nombreux parmi lesquels le sexe et l'âge sont sans doute importants. Ces facteurs varient avec la motivation à l'assouvissement du besoin et l'on sait l'intérêt pour l'objet sexuel dans toutes les classes de notre société industrielle. L'assouvissement des envies est une motivation qui, généralement, provient de la publicité faite autour de l'objet envié et de la constatation du plaisir que les autres éprouvent à l'utiliser. On ne peut donc sous-estimer la part de la publicité aux sources de la violence, mise en jeu pour se procurer les objets que le statut économique ne permet pas toujours d'obtenir en se soumettant aux lois du monde marchand. Notons d'ailleurs que ce monde ne maintient ses échelons hiérarchiques de dominance, à tous les niveaux d'organisation, qu'en créant des besoins nécessaires à l'accroissement de la production marchande.

Enfin, nous voudrions préciser qu'ayant écrit qu'à notre avis, si le meurtre intraspécifique n'existe pas chez l'animal, c'est que celui-ci ne parle pas, cette opinion semble contredire celle de J.-M. Bessette. En réalité, le rôle du langage change en changeant de niveau d'organisation et, pour les groupes humains, un discours logique, un alibi langagier, une idéologie couvrent toujours les guerres et les génocides, motivent et excusent les pulsions inconscientes à la recherche de la dominance. Nous avons aussi écrit ailleurs que l'instinct de mort freudien nous semblait biologiquement impossible et qu'il n'était invoqué sans doute que pour faire le pendant à l'éros, dans un système douteux d'équilibre. Plus récemment, nous avons abouti à la notion que cet instinct de mort n'était pas un instinct mais que l'on pouvait admettre qu'il provenait, chez l'homme, de l'apprentissage de l'emploi du langage qui façonne l'inconscient et fournit la justification au crime « juste » ; mais c'est aussi un moyen de vivre, puisqu'il permet la communication, la formation des groupes et finalement l'occultation de l'angoisse résultant de la solitude et de l'inhibition de l'action : ambiguïté de ce qui n'est qu'un moyen relationnel pouvant aussi bien servir au meurtre, qu'il motive ou qu'il excuse, qu'à la délivrance en apaisant notre solitude.

A côté des motivations à agir, provenant des pulsions, de celles provenant de l'apprentissage des objets gratifiants, il y a celles qui proviennent du désir. Les précédentes dépendaient bien évidemment de la socioculture. Si l'on avait demandé à un homme du paléolithique ce dont il avait envie, il n'aurait certainement pas répondu : d'une R 16. Il aurait sans doute souhaité un ours avec un peu de feu pour le faire cuire. Les motivations qui résultent du désir sont au contraire une projection dans l'avenir de quelque chose qui n'existe pas. Elles résultent du travail de l'imaginaire. Mais, d'une part, un tel désir ne peut exister que s'il existe une motivation beaucoup plus élémentaire, une pulsion, et, d'autre part, nous l'avons suffisamment répété, un processus imaginaire ne peut reposer que sur un apprentissage antérieur d'éléments mémorisés, mais associés de façon originale et capables de créer l'image d'un nouvel ensemble. C'est peut-être l'existence de ces mécanismes des motivations gouvernant la recherche de la dominance qui permet de proposer de ne pas être motivé comme le plus grand nombre. Ce qui se résume en définitive à être pleinement un homme et à tenter de réaliser ses désirs. Ce faisant, on ne s'inscrit pas dans un système de compétitivité, on n'entre donc pas dans une lutte contre l'autre et il devient possible de ne pas être conforme au règlement de manœuvre de la socioculture. Sans doute, cette autonomie sera-t-elle toujours relative, car même si un individu est motivé différemment, il faudra, pour qu'il soit accepté par l'ensemble social, que son comportement apparaisse conforme à ce que ce groupe social attend de lui. Le statut hiérarchique résultant de la récompense accordée par le groupe à celui qui est le plus utile à la cohérence et à la survie du groupe, ce statut hiérarchique dépendra donc des moyens que le groupe considérera comme indispensables pour la reproduction de sa structure. Dans nos sociétés industrielles, la récompense et le statut hiérarchique s'adresseront à ceux qui ont accédé à un haut niveau d'abstraction dans leur information technique et professionnelle. L'égalité se montre ainsi une parfaite utopie, dans un monde entièrement bâti sur l'agressivité compétitive. D'où l'alibi logique des dons « innés » et le repli prudent vers une prétendue « égalité des chances ». Egalité des chances à établir sa dominance, autrement dit à créer et entretenir les inégalités.

Mais si la finalité de l'individu est ailleurs, il pourra très bien sembler s'inscrire dans la finalité du groupe, où il rencontrerait très rapidement l'agressivité compétitive et l'inhibition de l'action qui généralement peut en résulter, de même qu'il rencontrerait très tôt son niveau d'incompétence suivant le principe de Peter alors que, dans cet « ailleurs » qu'est le monde des désirs, il ne rencontrera aucune concurrence. Cet individu risque de rester en bonne santé jusqu'à un âge assez avancé. Bien plus, indifférent aux motivations qui animent la majorité de ses contemporains, il peut en souriant faire semblant de s'y conformer et atteindre ainsi un statut hiérarchique que l'aveuglement de l'agressivité compétitive ne lui aurait pas permis d'atteindre. Il suffit pour cela qu'il ne suive pas les carottes que la socioculture lui tend, qu'il les croque quand elles lui tombent dans la bouche, mais qu'il ne se laisse pas influencer par leur goût sucré. Si ce comportement était très largement répandu dans nos sociétés industrielles, une source très considérable d'agressivité disparaîtrait d'elle-même.

Il faut d'ailleurs reconnaître que dans ces sociétés industrielles, les barreaux des échelles hiérarchiques sont si nombreux que l'individu peut souvent se contenter d'une dominance restreinte par rapport à la société globale. C'est une des raisons pour lesquelles à notre avis, dans ce type de société, les troubles sociaux peuvent exister mais qu'il est très rare et épisodique d'assister à une révolution sanglante, alors que dans les peuples dits sous-développés ou en voie de développement, où les échelons hiérarchiques sont beaucoup moins nombreux, car toute une partie importante de la population est stationnée au bas de l'échelle et une autre, beaucoup plus restreinte, en haut, on voit au contraire fréquemment des bouffées d'agressivité révolutionnaire. Nos sociétés industrielles aboutissent le plus souvent au mal-être, aux maladies psychosomatiques, maladies dites de civilisation, mais rarement à la bouffée d'agressivité désespérée, celle de l'inhibition de l'action sans espoir. Ce que nous venons de dire montre combien il

est difficile de se contenter de l'étude d'un seul niveau
d'organisation, puisque dès que l'on étudie un peu précisément celui de l'individu, on passe très vite à celui du groupe
et de la société globale. Dès lors, quand le pouvoir
judiciaire juge et condamne un individu, n'est-ce pas les
systèmes englobants qu'il juge et condamne du même
coup, et aussi lui-même qui en fait intégralement partie ?

LA VIOLENCE A L'INTÉRIEUR DU GROUPE

Dans la famille

La famille est une structure ; on ne la voit pas, on ne la
touche pas. On voit et touche ses éléments, ses membres,
qui sont réunis dans le même espace parfois, par des
relations de consanguinité et des relations administratives,
institutionnalisées, qui varient avec les Etats, les régions,
les cultures, c'est-à-dire les valeurs, les préjugés, les
coutumes d'un lieu et d'une époque. Le fait de vivre
ensemble établit, entre les membres de la famille, des
relations de dépendance ou de soumission, à partir de la
notion de propriété, elle-même liée en général à l'existence
d'un apprentissage de l'objet gratifiant. « Mon » fils,
« ma » fille, « mon » papa, « ma » maman, « ma »
femme, « mon » mari, etc. A l'entière dépendance motrice
de l'enfant, au début, par rapport aux parents, se super-
pose une dépendance économique, qui, suivant le milieu
social, peut se prolonger plus ou moins longtemps. L'ensemble de ces liens matériels et affectifs est plus ou moins
institutionnalisé par des règlements religieux ou étatiques.
Il faut remarquer que, quand on parle de la famille, on
entend en général le type de structure qui a prévalu, dans la
société occidentale, à partir du néolithique, la structure

patriarcale monogame. C'est elle qui est parée de toutes les qualités, chaînon fondamental de la société, gardienne non moins fondamentale d'une civilisation. Cependant, il faut signaler que d'autres ethnies, dans d'autres régions du globe, ont conçu des structures d'accueil et de protection de l'enfant, car c'est *pour l'enfant* qu'existe la famille qui n'a pas de finalité en soi. Or, il n'est pas évident que ces structures familiales différentes ne remplissent pas aussi bien leur rôle et quand on observe le genre de société à laquelle la structure patriarcale monogamique a donné naissance, on se prend à douter de la perfection de ce type de « chaînon fondamental » des sociétés. La dominance décisionnelle et économique du mari sur la femme, des parents sur les enfants et la soumission des seconds aux premiers, la transmission de l'héritage et des automatismes culturels pourraient bien être, au niveau d'organisation englobant, du groupe, des classes, des Etats, à l'origine des mêmes structures de dominance, centrées sur la notion de propriété des choses et des êtres. Il est vrai que l'on peut aussi bien en faire remonter l'origine à l'individu lui-même, inventeur de la famille dans un cadre géoclimatique particulier. De toute façon, on comprend qu'une telle structure ne peut être que conflictuelle, même si elle n'est pas que cela. Il faudrait que la société dans laquelle elle s'inscrit soit non évolutive ou régressive, pour que la génération parentale puisse longtemps dominer celle des descendants. Mais dans un monde en évolution technique et sociologique accélérée comme le nôtre, quelle expérience du monde l'adulte ou le vieillard ont-ils, alors que le monde d'hier est déjà différent de celui d'aujourd'hui et encore plus de celui de demain (en paraphrasant Rosemonde Gérard) ? L'expérience que l'on respectait, que l'on admirait et utilisait chez eux au cours des siècles passés, ne pouvait s'accumuler que parce que le milieu évoluait alors au ralenti. Le recyclage aujourd'hui aurait besoin d'être non seulement technique mais généralisé. Au sein des groupes et de l'Etat le

pouvoir grandissant avec l'âge et les services rendus
s'impose encore, car il se cramponne à des situations de fait
le plus souvent, en s'appuyant sur les niveaux hiérarchiques
sous-jacents. Ceux-ci attendent de lui rarement la sagesse
ou « la » connaissance, mais l'utilisation de « ses »
connaissances, de ses « relations » pour assurer leur propre
élévation hiérarchique. Mais dans la famille, groupe restreint, la contestation, la recherche de la dominance,
l'affirmation de soi, pour les jeunes, créeront entre les
générations des conflits, parfois violents. Est-ce la perte de
« certaines valeurs » qu'il faut accuser, ou simplement le
passage rapide d'une société artisanale à une société
industrielle, en attendant celle qu'on nous promet, la post-
industrielle ? Est-ce l'évolution accélérée des structures de
la société globale qui a détruit la famille classique ou au
contraire l'évolution de la famille classique, la démission
des parents (*sic*), qui a engendré la société globale. Poser
cette question montre que les cybernéticiens n'ont pas
encore suffisamment diffusé leur forme de pensée. Cela
montre que l'on n'utilise pas encore suffisamment les
notions d'effecteur, de facteur, d'effet, de boucle rétroac-
tive, et surtout de servomécanisme et de niveau d'organisation, quand on aborde un problème, fût-il celui-ci. La
famille, la nucléaire avant tout, est sans doute la structure
sociale la plus simple pour laquelle tout ce qui a été dit
précédemment au sujet des bases biologiques des comportements est directement applicable. Il ne nous semble
même pas utile de développer le rôle des processus de
l'empreinte, de l'établissement progressif du schéma corporel, de la notion d'objet, celui de l'être ou de l'objet
gratifiants, de la naissance des lois de la compétition, de
l'idéal du moi, du narcissisme enfantin ou parental, du
mimétisme ou de l'expérience gratifiante ou nociceptive,
pour comprendre les facteurs intervenant dans la violence
familiale, comme dans toute violence d'ailleurs. Mais ces
facteurs, tous fondamentaux et liés au fonctionnement d'un

cerveau humain en situation sociale et conflictuelle, ne peuvent être isolés des ensembles sociaux plus vastes englobant la famille et dont les relations, les structures se sont établies historiquement au cours de l'évolution des sociétés humaines dans l'espace géoclimatique où elles se sont situées. Tous les aspects, psychologiques, sociologiques, économiques et politiques (dans un sens large), ne peuvent alors être qu'artificiellement isolés, dans leur étroite interdépendance. Ils résultent eux-mêmes des structures biocomportementales des hommes qui sont en définitive les éléments de ces ensembles complexes. Ceux-ci, en retour, réagiront sur les structures biocomportementales.

Tout ce que nous venons d'exposer, concernant les rapports interindividuels et la naissance de l'agressivité dans une dyade ou une triade, est directement utilisable dans le contexte familial. Cependant, en général, quand on parle de la violence dans la famille, c'est pour envisager la violence des parents sur leurs enfants, donnant naissance à ce que l'on appelle les enfants martyrs. Mais il faut noter que si cet aspect est souvent le plus révoltant puisqu'il représente la violence d'un adulte sur un être sans défense, il est cependant loin d'être le seul et, s'il est spectaculaire, il n'est pas le plus fréquent.

Que dire de lui qui n'ait déjà été dit ? Et comment, une fois de plus, rester enfermé dans le groupe familial et ne pas voir que ce qui s'y passe résulte de la réaction des individus constituant ce groupe à la société globale ? Enfants non désirés, considérés comme une charge supplémentaire venant s'ajouter à celle que le couple est incapable d'assumer du fait de son salaire insuffisant. Enfant à charge d'un des membres isolés du couple, l'autre l'ayant abandonné, représentant en conséquence l'image même du couple désuni bien souvent par la misère. Le plus étonnant, c'est que ces enfants retirés aux parents « indignes » et placés dans une famille adoptive préfèrent parfois retrouver leur famille première avec l'agressivité qui y règne et les

coups qu'ils y reçoivent, ce qui montre que la période de
l'empreinte est une marque indélébile et qu'un bien-être
apparent est quelquefois plus douloureux ensuite à supporter que la douleur réelle qui a accompagné son établissement. Plutôt que de punir les parents indignes, ne serait-il
pas préférable d'éviter que soient réalisées les circonstances socio-économiques qui font qu'ils le deviennent ? Mais
la violence n'est pas absente non plus dans les familles, bien
sous tous rapports, où un code rigide et sans amour est
appliqué à l'enfant pour assurer son bonheur à l'âge adulte.
Il ne s'agit pas de réaliser, aussitôt qu'il les exprime, tous
les désirs ou toutes les envies de l'enfant. Celui-ci a besoin
d'apprendre que la réalité n'est pas toujours conforme à ses
désirs, et de l'apprendre progressivement mais suffisamment tôt afin d'éviter plus tard des déboires, des décep-
tions. D'autre part, pour éprouver un sentiment de sécurité, essentiel pour lui, il a besoin de se sentir à la fois
protégé et contrôlé. Mais en dehors de ces notions bien
banales, la formation d'un enfant, je ne dirais pas l'éducation, est quelque chose de bien trop complexe pour que
l'on puisse donner des règles à appliquer. Je pense que si
l'on rencontre quelqu'un disant qu'il sait comment on doit
élever un enfant, il vaut mieux ne pas lui envoyer les siens
pour qu'il s'en occupe.

L'inhibition de l'expression corporelle du cerveau droit
de l'enfant fait partie de la coercition et de l'agressivité
parentales. L'agressivité en famille ne se solde pas toujours
par des lésions apparentes avec ecchymoses. Mais après ce
que nous avons dit concernant la pathologie générale en
rapport avec l'inhibition de l'action, on devine que les
rapports dans le couple ou entre celui-ci et la génération
suivante, à l'intérieur de la famille, peuvent être généra-
teurs d'une agressivité qui, sans être toujours apparente,
n'en provoquera pas moins des lésions sans relation directe
avec des coups et blessures. Nous retrouverons dans ce
type d'agressivité tous les facteurs précédemment envisa-

gés, l'appropriation d'un des éléments du couple par l'autre, le narcissisme, le mimétisme, l'image idéale du moi, etc., aboutissant à l'inhibition de l'action.

La violence entre les sexes, dont la femme a été jusqu'ici généralement la victime, pose un problème qui n'est pas simplement limité au couple mais qui dépend de tout un système historiquement établi depuis près de douze mille ans, le système patriarcal. Elise Boulding a rédigé récemment (1978) un travail concernant « les femmes et la violence sociale [1] » auquel on pourra se référer. L'importance prise au cours des dernières décennies par les mouvements féministes nous autorise à ne pas approfondir l'ensemble du problème que les mass media ont très largement diffusé. Elise Boulding cite une liste de crimes contre la femme qui a été publiée par un tribunal international créé en 1974 lors d'une réunion féministe internationale tenue au Danemark. Je rappelle succinctement les éléments de cette liste : la maternité forcée, c'est-à-dire la non-possibilité de se procurer les moyens de contraception, une impossibilité d'avorter, des crimes d'ordre médical commis par les gynécologues, les psychiatres, et d'autres médecins, expériences dangereuses sur le corps des femmes, crimes d'ordre économique, tolérés par la loi, double charge du travail des femmes dans la population active, d'où la discrimination raciste ou sexiste contre les femmes du tiers monde, travail non rémunéré des ménagères, oppression des femmes dans la famille patriarcale, persécution des mères célibataires et des lesbiennes, abandon des femmes âgées, enfin le viol, les coups, les meurtres, les mauvais traitements infligés à l'occasion de la prostitution ou de la pornographie, les brutalités à l'égard des détenues politiques ou non. Là

---

1. E. BOULDING (1978) : « Les femmes et la violence sociale » in *la Violence et ses causes*, 1 vol., UNESCO éd., 1980, pp. 249-263.

encore, le problème n'est pas un problème de rapports mutuels, c'est un problème de société. Il semble évident que l'établissement du système patriarcal depuis douze mille ans a été à l'origine du comportement de l'homme à l'égard de la femme, encore que, à certaines époques, le rôle de la femme ait été parfois dominant, ne serait-ce que, par exemple, au Moyen Age. Il est certain qu'une société honorant le mythe du héros vainqueur et violeur ne laisse pas une part très honorable à la femme. Il faut noter cependant au passage que l'enfant mâle est généralement élevé par sa mère et que les femmes elles-mêmes ont depuis bien longtemps une responsabilité inconsciente dans la perpétuation de ce mythe. D'autre part, ce n'est pas en réclamant la participation à ce type de dominance dont elles ont souffert, ce n'est pas en répétant avec le sexe dit faible l'agressivité de compétition, que l'on peut espérer un changement de la société. Il n'est même pas complètement erroné de dire que si les femmes ont actuellement une espérance de vie plus grande que celle des hommes, cela vient peut-être du fait qu'elles ne sont point encore entrées dans cette compétition pour l'ascension hiérarchique et le pouvoir. Le jour où elles y pénétreront, il est probable que les causes multiples d'inhibition de l'action qu'elles rencontreront les feront vieillir aussi prématurément que la gent masculine actuellement, car les perturbations biologiques que nous avons schématisées en relation avec l'inhibition de l'action sont très vraisemblablement une des causes essentielles du vieillissement par l'intermédiaire de l'augmentation des processus oxydatifs et la formation accrue de radicaux libres [1]. Enfin, il est peut-être souhaitable qu'un peu de lucidité permette aux revendications absolument indispensables des mouvements féministes contemporains de ne pas faire appel au terme de liberté :

1. H. LABORIT (1964) : « Rôle probable du shunt de l'hexose monophosphate dans la protection contre la toxicité de l'oxygène, les radiations ionisantes et le vieillissement », *la Presse médicale*, 72, 8, pp. 441-444.

liberté pour la femme, par exemple, de procréer quand bon lui semble, et avec qui bon lui semble. Il suffirait de remplacer le terme de liberté par celui d' « autorisation par la socioculture », car où se loge cette liberté qui, dès la naissance, oblige un petit de l'homme à naître par la « liberté » de sa mère, puis à supporter ensuite les aléas, les angoisses, les peines et les douleurs d'une vie qu'il n'a pas demandé à vivre ? A quel âge apparaît donc cette liberté qui vous est soustraite dès la naissance par la libre volonté des géniteurs ?

La violence dans le groupe élargi

Chez l'homme comme chez l'animal, la violence à l'intérieur du groupe s'exprime par la recherche de la dominance. C'est le seul processus que nous serions tentés d'appeler « loi », qui persiste à travers les millénaires, et nous avons vu pourquoi. C'est la conséquence même de la structure du système nerveux animal et humain, recherchant l'appropriation de l'objet gratifiant, lorsque apparaît une compétition pour son obtention.

Lorsque ces dominances sont établies, il y a une tendance constante à pérenniser, par l'apprentissage, les échelles hiérarchiques et le moyen de les réaliser. On passe alors à l'*institutionnalisation* de ces règles d'établissement de la dominance qui vont être légalisées et ces lois ne seront que celles réglant les différents types d'appropriation et leurs différents objets. Ces objets peuvent être des choses, des êtres, ou des concepts liés aux êtres, des coutumes, des rites et des savoirs. Il semble évident que ces lois sont érigées par les dominants et non par les dominés, et qu'elles seront favorables à la dominance et non à la soumission. « La loi du plus fort est toujours la meilleure » ; « suivant que vous serez puissant ou misérable, les jugements de cour vous feront blanc ou noir ». La constatation du fait n'est pas récente.

Mais à partir du moment où des lois régissent le comportement des éléments individuels du groupe, l'agressivité compétitive qui fut à l'origine de leur établissement disparaît progressivement. Il en fut ainsi après toutes les révolutions que l'on oublie bien vite être réalisées dans le sang et la terreur et que l'on sacralise ensuite dans la mémoire des peuples. Mais nous avons déjà signalé à plusieurs reprises que, la dominance étant établie, le dominant voit disparaître son agressivité, qu'il n'a plus besoin d'actualiser puisqu'elle est institutionnalisée. Il en fut ainsi à toutes les époques. Bien plus, il va jeter l'anathème contre ceux qui oseraient se révolter contre le droit, droit établi grâce à cette agressivité compétitive oubliée. Et comme après douze mille ans, le droit du plus fort s'est établi sur le progrès technique, les ethnies qui en ont bénéficié ont tendance à considérer les autres comme des ensembles d'attardés mentaux ayant parfois tout juste le droit d'être considérés comme des hommes.

Il nous faut alors envisager aussi une des opinions de René Girard à laquelle nous ne pouvons que difficilement adhérer. Cet auteur essaie de montrer que la violence naît de la non-différenciation à l'intérieur du groupe. Il propose un certain nombre d'arguments dont quelques-uns sont pour le moins curieux. Il prétend ainsi que si les jumeaux, dans certaines sociétés, primitives, sont tués, c'est parce qu'ils sont indifférenciés. Ne pourrait-on justement dire que la gémellarité étant en principe exceptionnelle, dans l'espèce humaine, elle constitue un état différent qu'il faut faire disparaître ? Les animaux ne tuent pas les jumeaux et, cependant, la portée d'une femelle dans de nombreuses espèces de mammifères donne naissance à des individus nombreux et indifférenciés. Selon lui, également, la violence entre frères serait fondée sur une moindre différence. Mais ne serait-elle pas surtout fondée sur la compétition pour un même héritage, ou tout autre bien gratifiant ? Il fait ainsi à juste titre l'éloge de la différence (titre d'un livre d'Albert Jacquard) et non moins justement montre que ces différences s'établissent par la constitution de hiérarchies. Quand l'égalitarisme surgit, l'indifférenciation s'établit, sécrétant la violence dans la communauté, et il prend appui sur l'exploitation de la tragédie grecque, pour montrer qu'elle n'est qu'une histoire des indifférences, des non-différences.

Bien sûr, l'établissement des hiérarchies va avoir pour résultat la possibilité pour les plus forts, pour les dominants, de maintenir au fil des années la structure hiérarchique de dominance et, en conséquence, d'éviter la violence actualisée en s'appuyant sur une violence antérieure, secondairement institutionnalisée. Mais il m'est difficile de comprendre comment il est possible de ne pas se rendre à l'évidence que la violence première à l'intérieur du groupe résulte justement de l'établissement de ces inégalités. Les explosions de violence qui ont jalonné toute l'histoire humaine me semblent être nées de l'existence des inégalités, des révoltes paysannes, dues à la famine, à l'époque préindustrielle, aux révoltes ouvrières de l'époque industrielle. La fête, le carnaval, René Girard[1] les considère comme des manifestations violentes du fait qu'ils suppriment la différence. De nombreux auteurs avant lui et, je l'espère, après lui, ont considéré et continueront à considérer que la fête est une soupape de sécurité, autorisant l'évasion du quotidien, qui permet, en supprimant temporairement les différences, d'éviter une violence plus grave qui aurait résulté du maintien de la différence. Au cours du carnaval, le masque supprime bien la différence, cache la personnalité et on sait que l'on peut trouver alors mélangées toutes les classes sociales ; les moins favorisées se permettaient autrefois, dans ce court laps de temps, toutes

---

1. R. GIRARD (1972) : *op. cit.*

les irrévérences envers la dominance et ceux qui la repré-
sentaient, irrévérences qui leur étaient interdites dans le
quotidien. Le carnaval et la fête ne sont pas des institutions
gratuites et si certains les ont comparés à ce qui s'est passé
en France en mai 1968, c'est bien parce que ce qui s'est
passé à ce moment-là a constitué une soupape de sécurité
qui a permis le maintien et le rétablissement par la suite de
l'ordre antérieurement établi. La fête est donc pour nous, à
l'inverse de l'interprétation de René Girard, un moyen
passager de maintenir les différences en soulageant
momentanément les insatisfactions et les désirs inassouvis
qui résultent de l'établissement et de la pérennisation des
échelles hiérarchiques de dominance, donc des différences.
La fête est en résumé le moyen d'éviter la révolution
comme la diffusion étatique de ce que l'on appelle la
« culture ».

Par contre, nous serons d'accord avec René Girard sur la
notion, sur laquelle il insiste longuement, de la découverte
d'un bouc émissaire. La victime émissaire, qui est souvent
prise à l'intérieur du groupe, va canaliser sur elle la
violence du groupe et rétablir ainsi sa cohésion. Mais cela
nous paraît valable aussi lorsque la victime émissaire est
prise en dehors du groupe. Qu'est-ce qui peut exister de
plus favorable à la cohésion d'un groupe national ou
étatique que de choisir comme victime émissaire l'ennemi
vers lequel la violence et l'agressivité du groupe vont se
focaliser ? Nous en avons vu un exemple tout récent
encore, ne serait-ce qu'en Argentine, où la violence à
l'intérieur du groupe, à partir du moment où elle s'est
détournée vers l'ennemi commun, a permis une nouvelle
cohésion à l'intérieur de ce groupe. De même, le jour où
l'Etat d'Israël n'aura pas comme bouc émissaire le monde
arabe, et qu'une paix s'établira, il est possible qu'alors la
violence à l'intérieur de cet Etat entre séfarades et ashké-
nazes puisse apparaître alors qu'elle ne s'était pas encore
exprimée. Cependant, si nous continuons les mêmes dis-

cours logiques on pourrait dire que le bouc émissaire que constitue l'Etat d'Israël à l'égard du monde arabe n'a pas encore réussi à faire l'unité de ce dernier. Ce qui montre avec quelle prudence il faut aborder des notions aussi générales et qui le deviennent de plus en plus à mesure que l'on passe d'un niveau d'organisation à un autre plus complexe.

En résumé, il nous est apparu que René Girard semble confondre hiérarchie, pouvoir, dominance et fonction. Les fonctions qu'exerce un individu dans un groupe social sont valorisées plus ou moins, suivant l'intérêt qu'elles représentent pour la *finalité* de la communauté. Et c'est cette *finalité qui crée la différence.* Car si la finalité du groupe social est de survivre, elle est d'abord de le faire par le maintien de la structure hiérarchique qu'il représente. Les prétendues valeurs de cette société n'assurent que cette fonction. Si ces valeurs sont contestées, les hiérarchies s'effondrent, la structure sociale aussi. Enfin, nous n'avons pas très bien saisi quels sont les mécanismes internes de cette violence fondatrice du groupe social invoquée par René Girard. Nous avons l'impression que la violence est pour lui quelque chose qui existe « en soi » du fait de la non-différence comme si cette violence était assumée par des êtres qui n'ont pas de cerveau et dont le système nerveux n'a pas une part indispensable dans l'établissement de cette violence. La violence n'est pas un mot. Elle n'a d'existence que par l'existence même du système nerveux qui l'exprime. Comment peut-on en parler lorsque l'on ne prend pas en charge la structure et le fonctionnement de ce système nerveux, si ce n'est sous la forme d'un système langagier ? L'importance du travail de René Girard vient sans doute du fait qu'il jette une lumière autre que celle à laquelle nous étions jusqu'ici accoutumés sur le problème de la violence. Nous resterons légèrement sceptiques sur l'aspect qu'il veut « scientifique » de cette approche, ce qui ne lui enlève nullement son intérêt. Nous n'argumenterons pas non plus sur son approche du divin qui résulterait pour lui de cette violence fondatrice. Nous aurions, pour notre compte, plutôt tendance à croire que la création du divin par l'homme résulte de l'angoisse existentielle qui est propre à son espèce. Sa crainte de la mort, son déficit informationnel devant tout ce monde incompréhensible pour lui (du fait qu'il a cru à sa liberté, comme nous l'avons déjà dit précédemment) l'absence d'un système englobant l'ont contraint à le créer de toutes pièces avec ses mythes et ses religions. Cela ne veut pas dire que ce système englobant n'existe pas, mais il est probable que s'il existe, ce que tout nous porte à croire, l'homme n'y participe pas, du moins pas plus que ma cellule hépatique, qui m'est pourtant indispensable, ne participe actuellement au discours que je suis en train de tenir. Ainsi, pourquoi cette étude de la violence à l'intérieur du groupe ? Nous pouvons dire sans crainte de beaucoup nous tromper, car le monde contemporain nous en donne de multiples exemples, que la violence institutionnalisée s'exprime par un mot, l'Etat, dont il suffit de comprendre que c'est un des moyens d'expression historique d'une hiérarchie de dominance localisée.

Luttes de classes

On peut considérer que ce type de violence s'étend du groupe à l'espèce entière.

Qu'est-ce qu'une classe ? Ce mot définit un ensemble d'individus qui ont en commun une fonction, un genre de vie, une idéologie, des intérêts, etc. La multiplicité des facteurs qui entrent en jeu pour la définir rend difficile l'appréciation de ses limites. Le marxisme en a fourni une définition simple. La classe prolétarienne ne possède que sa force de travail, la classe bourgeoise détenant la propriété privée des moyens de production et d'échanges.

Il est clair qu'aujourd'hui un nombre considérable d'individus, ne possédant pas la propriété privée des moyens de production et d'échanges, a des intérêts, une idéologie, un genre de vie, une échelle de salaires qui en font de parfaits bourgeois. De même, définir le prolétariat par sa force de travail consiste à dire que, lorsque l'on n'appartient pas à cette classe, on ne travaille pas, on vit dans l'oisiveté. Cependant, un bon nombre de bourgeois, ou soi-disant tels, remplissent plus d'heures de travail par semaine que n'importe quel ouvrier spécialisé.

Est-ce alors le genre de travail effectué qui constitue le facteur essentiel de division par classes de la société ? Le travail manuel serait-il prolétarien, et l'intellectuel, petit ou grand bourgeois ? L'artisan serait alors un prolétarien, au même titre que le manœuvre, et le philosophe marxiste ou l'instituteur, un bourgeois. Ce qui n'est pas toujours faux. Certaines fonctions sont sans doute plus motivantes que d'autres, et un travail dans lequel on joue avec des informations variées, un travail créateur de nouveaux ensembles abstraits, est plus motivant que le geste stéréotypé du travailleur à la chaîne. Celui qui réalise le premier sera souvent moins contestataire de la structure sociale qui lui permet de se gratifier que le second. Mais la frontière entre travail intellectuel et manuel est encore bien mal délimitée et ce n'est pas parce qu'un travail fait moins appel à l'énergie thermodynamique du muscle et de la main et plus à celle, métabolique et informationnelle, du cerveau humain, qu'il n'est pas aussi automatisé, aussi dénué d'intérêt, aussi peu motivant. Mais ayant demandé à celui qui l'effectue d'avoir atteint un certain degré dans l'abstraction, il sera mieux récompensé par une structure sociale productiviste.

Mieux récompensé ? En quoi consiste la récompense, source le plus souvent de l'inégalité ? Elle est salariale, bien sûr. Mais certaines professions, dont le salaire dépend de l'Etat, bien que professions dites « intellectuelles », ne sont guère mieux rétribuées que celle remplie par un chef d'atelier dans l'industrie. Pourquoi existe-t-il encore des médecins militaires, par exemple, passant des concours, alors que leurs équivalents civils ont des situations économiques beaucoup plus rentables ? Le salaire est un facteur motivant mais insuffisant à séparer les classes sociales. Un chercheur scientifique dira avec ostentation si on lui demande quelle est sa fonction : « Je suis chercheur », alors qu'il est payé parfois juste au-dessus du SMIC.

La récompense n'est pas uniquement liée non plus aux décorations, à l'avancement hiérarchique, encore que les professions où celui-ci est possible soient plus attirantes pour l'individu que celles où il n'existe aucun espoir promotionnel. Mais cette progression hiérarchique est forcément liée au conformisme à l'égard des valeurs, des lois, des préjugés, des intérêts d'une société, d'un lieu et d'une époque. Tout petit Français est « libre » de devenir président de la République (dit-on) comme tout P-DG d'une grande multinationale est « libre », au même titre que le clochard, d'aller coucher sous les ponts. Mais il n'y a que le clochard qui en « profite ». Cette progression hiérarchique est donc parfaitement stérilisante et n'est utile qu'à la reproduction de cette structure sociale. Nous serions donc tentés de dire que le bourgeois est le conservateur de cette dernière et le prolétaire celui qui veut la transformer à son avantage. Malheureusement, ce n'est souvent que pour la reproduire, en changeant les éléments de l'ensemble sans en changer fondamentalement la structure ; nous verrons que l'inverse est également vrai.

En réalité, ce qu'il est convenu d'appeler la « démocratie » dépend fondamentalement de l'image idéale que les individus se font d'eux-mêmes. Nous savons que cette image est celle que leur entourage immédiat, depuis leur plus jeune âge, a façonnée en eux-mêmes, donc du niveau culturel de cet entourage. Si l'individu a l'impression d'avoir réalisé cette image dans la société où il se trouve,

quel que soit le niveau qu'il atteint dans l'échelle hiérarchique, il ne cherchera pas à transformer une structure sociale
qui reconnaît ses mérites. Par contre, s'il se voit plus beau,
plus grand, plus « intelligent », plus généreux que l'image
qui lui est renvoyée par l'ensemble social, alors il sera tenté
de renverser cet ordre social qui ne lui renvoie pas l'image
idéale qu'il se fait de lui-même et de participer à la création
d'un nouvel ordre qui reconnaîtrait ses mérites. Dans le
premier cas, ce sera un conservateur bourgeois, dans le
second, un révolutionnaire prolétarien. Qu'on ne s'étonne
pas alors que dans les pays « démocratiques » le partage
électoral des voix se fasse en général par moitié pour la
« droite » conservatrice et la « gauche » transformatrice,
mais rarement révolutionnaire. Entre les deux, évolue
souvent un marais idéologique qui, ne se voulant pas
conservateur d'une structure sociale, ce qui fait rétrograde,
tente cependant de conserver ses prérogatives en son sein,
en proposant quelques réformes qu'il croit susceptibles de
tempérer l'agressivité révolutionnaire. Dans un tel système, où tout individu est le dominant de quelqu'un, le
mari sur la femme, le chef d'atelier sur « ses » ouvriers, le
petit chef de bureau sur les employés, le cadre moyen sur le
petit cadre, le cadre supérieur sur le moyen, parfois sous la
parure d'un paternalisme dégoulinant, etc., mais aussi le
dominé de quelques autres, personne ou presque n'est
tenté d'employer la violence active pour améliorer sa
position. Celle-ci s'accompagne d'aliénations multiples,
mais aussi de multiples facteurs de sécurisation ; ceux
apportés par les lois sociales, mais ceux aussi qui résultent
de l'éparpillement de ce qu'il est convenu d'appeler les
« responsabilités ». Personne ne réalise qu'il est d'abord
prisonnier et aliéné par un système, dans lequel la seule
finalité est la productivité en marchandises, mais que ce
monde marchand est aussi un monde d'acheteurs, auquel
on doit fournir les moyens de l'achat. D'où l'élévation
exigée du « pouvoir d'achat » qui va permettre l'accroisse-

ment des investissements nécessaires à l'accroissement de la production : système fonctionnant à « tendance », comme diraient les cybernéticiens qui savent parfaitement qu'un tel système « pompe ». Un pont sur lequel une troupe passe au pas cadencé peut s'écrouler. Ce système dans une certaine mesure, dans les pays industrialisés, atténue les différences dans la consommation et, à l'encontre de ce que soutient René Girard, diminue les tensions qui aboutissent à la violence révolutionnaire, à la lutte de ces classes si difficiles à délimiter.

A l'origine de la civilisation industrielle, cela n'a pas été le cas, puisque ceux qui possédaient la force de travail, manuelle le plus souvent, étaient entièrement exploités, dépendants, dominés par ceux, peu nombreux, qui possédaient les moyens de production : les détenteurs du capital. Mais la nécessité d'une production croissante pour conserver leur dominance les a contraints à faire appel à ceux qui, sans posséder les moyens de production, ni le capital, étaient capables d'inventer des moyens nouveaux de production plus performants et à ceux capables de les administrer : technocrates et bureaucrates. Cette nouvelle « classe » s'est donc progressivement imposée au capital privé comme à l'Etat ; elle a imposé, par cela même, sa dominance sans toujours en tirer le parti pécuniaire que son importance croissante lui aurait permis d'espérer. Mais, facteur indispensable de la croissance économique, sa dominance, tirée de son indispensabilité, a suffi à satisfaire son narcissisme et son idéal du moi. Malheureusement, une technologie de plus en plus abstraite et efficace a rendu la force de travail manuel de plus en plus inutile et a contraint ceux qui ne possédaient qu'elle au chômage. C'est l'étape à laquelle nous sommes parvenus à l'intérieur des Etats industrialisés et qui pourrait être à l'origine chez eux, avec le nouvel accroissement des différences, d'une nouvelle explosion de violence dans le groupe, si des lois sociales à l'égard des chômeurs n'en retardaient l'apparition.

Qu'on nous pardonne ces vues économiques et des rapports de production un peu simplistes dans un système de causalité linéaire, un peu simpliste également, et que nous avons déjà largement critiqué. Il n'a la prétention que de fournir un cadre très général pour passer de la violence individuelle à celle à l'intérieur du groupe. Les statistiques montrent toutes (voir à ce sujet J.-C. Chesnais[1]) que la violence interindividuelle a considérablement diminué au cours des derniers siècles, et tout particulièrement depuis le début de celui-ci, dans tous les pays européens. La diminution des inégalités de toutes sortes paraît en être un facteur prédominant. Mais au niveau d'organisation englobant, celui des Etats, elle n'a fait que croître dans son efficacité meurtrière.

Un dernier fait doit être lourdement souligné : il ne suffit pas de changer la structure sociale d'un ensemble humain pour transformer la structure des éléments individuels qui le composent. En d'autres termes, il ne suffit pas, par exemple, de supprimer la propriété privée des moyens de production et d'échanges, qui n'est qu'un moyen parmi d'autres d'établir la dominance, pour rendre l'individu « maître de son destin ». Cette suppression est sans doute souhaitable, mais les expériences qui en ont été faites à travers le monde montrent à l'évidence que la dominance a d'autres moyens de s'établir. Technocratie et bureaucratie, même si elles ne sont pas récompensées par des différences importantes de salaire, fournissent aux technocrates et aux bureaucrates un pouvoir discrétionnaire qui suffit à satisfaire leur narcissisme. De plus, la motivation fondamentale n'étant plus le profit (qui se moque bien des idées et les accepte toutes pourvu qu'elles se vendent) mais le pouvoir oblige celui qui veut y participer au conformisme

1. J.-C. CHESNAIS (1981) : *Histoire de la violence*, R. Laffont éd.

idéologique le plus absolu, s'il ne veut pas risquer la déportation ou l'hôpital psychiatrique. Il s'ensuit que dans un tel système ce n'est pas le prolétaire qui souffre le plus, mais ce qu'il est convenu d'appeler l'intellectuel, surtout celui aimant à manier des idées non conformes à l'idéologie dominante. Il en résulte ainsi une stagnation idéologique et conceptuelle navrante.

Ainsi, il ne suffit pas de remplacer le bourgeois par le prolétaire ni de transformer les rapports de production pour transformer les éléments du système, c'est-à-dire les individus qui conservent toujours un cerveau humain à trois étages, dont le plus dangereux, en ce qui concerne la violence, est celui de l'apprentissage des automatismes acquis.

Au début, nous avons tenté de définir la violence comme la caractéristique d'un acteur assurant l'application d'une certaine quantité d'énergie sur un ensemble organisé, y provoquant un certain désordre, augmentant son entropie, perturbant sa structure (ensemble des relations existant entre les éléments de cet ensemble organisé). Cette définition s'applique à la violence interindividuelle (crimes, suicides, coups et blessures « volontaires »). Elle s'applique encore à un ensemble social, mais dans ce dernier cas, la structure est moins apparente puisqu'elle consiste en relations interindividuelles : relations économiques, culturelles, idéologiques ou politiques qui furent toujours jusqu'ici des relations hiérarchiques de dominance, généralement institutionnalisées, après un épisode de terreur, et s'exprimant par des lois. Cependant, cette structure étant parfaitement abstraite, impalpable, la violence ne pourra s'exercer contre elle qu'en s'exerçant sur les individus, qui sont censés en profiter et en être les défenseurs.

Dans ce cas, la violence sera le fait des dominés, lorsqu'ils ne pourront plus supporter l'inhibition de leurs actions gratifiantes (impossibilité d'assurer leurs besoins fondamentaux ou acquis, blessures narcissiques et absence ou suppression secondaire de pouvoir). Mais les individus profitant de la violence institutionnalisée ne seront pas toujours atteints. Le *terrorisme* est un moyen de focaliser sur quelques-uns, qui ne sont malheureusement pas toujours les « responsables », la violence contre la structure de dominance institutionnalisée. La *révolution* sanglante en est un autre. Mais bien souvent, entre les dominants et les dominés s'interposent la police et l'armée, ce qu'il est convenu d'appeler les « forces de maintien de l'ordre », du maintien justement de cet ordre où existent dominants et dominés, de l'ordre hiérarchique de dominance. Et la police et l'armée seront presque toujours aux côtés du pouvoir, pour le maintien d'un ordre dans lequel leur ordre personnel s'inscrit. Si bien que, à moins que la subversion soit alimentée en armes efficaces par un Etat étranger pouvant avoir intérêt à la « déstabilisation » (*sic*) de la structure en cause, la révolution sera toujours perdante et se limitera à l'émeute.

Il est même curieux de constater qu'un comportement social, comme la grève, qui paraît essentiellement non violent, puisque caractérisé par l'inaction, est souvent susceptible de déstructurer l'organisation sociale fondée sur la productivité en marchandises qui l'autorise. Si bien que le pouvoir utilise parfois la police ou l'armée pour l'interdire et que c'est lui qui, dans ce cas, introduit une violence active à laquelle risque de répondre une violence défensive qui ne s'était pas encore exprimée. Mais il est aussi curieux de constater qu'à l'intérieur même du prolétariat en grève, les centrales syndicales qui savent ce qui est « bon » pour les syndiqués essaieront d'établir leur dominance, les unes par rapport aux autres, jusqu'à l'action violente corporelle envers l'individu, le groupe ou le syndicat localement dominé si celui-ci ne veut pas suivre l'ordre de grève, et tout cela au cri de « Liberté » avec un discours logique à la clef comme alibi indiscutable à l'action violente. « Ton analyse, mon vieux, ne tient pas debout ! »

et suit un discours fondé sur un système de causalités
linéaire et simpliste, faisant en général appel aux grands
ancêtres qui ont pensé pour ceux qui n'avaient pas le temps
de le faire, et qui n'exprime que l'intérêt particulier,
conscient et surtout inconscient, de celui qui le prononce.

A cette violence à l'intérieur du groupe, il est encore
possible de rattacher la violence du régionaliste et de
l'autonomiste dont nous avons déjà parlé. A l'aliénation
implacable, à l'égard de cette structure abstraite qu'est
l'Etat, institutionnalisant la structure hiérarchique de
dominance, dans un centralisme bureaucratique sans
visage, ceux-là préfèrent une structure régionale moins
abstraite, plus palpable, faite de tous les automatismes
acquis au sein d'un espace climatique particulier et transmise au cours des millénaires. Elle réunit en effet un sous-
ensemble d'individus, effaçant entre eux les différences, et
au contraire accusant celles qui les séparent des ensembles
englobants. Là encore, le bouc émissaire sera l'Etat, mais,
à l'exception des statues objectivant la République une et
indivisible, la violence ne pourra trouver que des objets ou
des individus qui sont considérés comme étant le symbole
de cet Etat castrateur. L'inhibition de l'action gratifiante
par un centralisme uniformisant nous paraît être encore le
facteur réunissant l'ensemble des causalités dont des analyses, économiques, sociologiques ou politiques, isoleront
celles les plus favorables à la cohérence du discours
explicatif.

D'autres types de violence devraient être également
étudiés dans l'optique de la biologie des comportements
humains en situation sociale : la violence routière, de loin
la plus meurtrière mais jamais mise en cause, la violence
industrielle des accidents du travail, la violence des pollu-
tions industrielles, etc. On retrouverait toujours à l'origine
la recherche d'une dominance entre les individus, les
grands groupes industriels nationaux et internationaux, les
Etats. Les mouvements écologiques peuvent tirer à juste

titre la sonnette d'alarme, ils ne nous proposent généralement que des actions négatives, sans jamais mettre en
cause la motivation et les mécanismes comportementaux
qui animent l'action polluante. On assiste même à la
compétition ridicule entre ces mouvements, qui chacun
recherche l'établissement de sa propre dominance comme
champion de la lutte écologique derrière un représentant
inspiré.

Au début de ce chapitre, parlant de la lutte de classes,
nous avons signalé que ce type de violence s'étendait du
groupe à l'espèce entière. En effet, nous verrons plus loin
que la violence entre les Etats industrialisés et ceux du tiers
monde constitue, au niveau d'organisation des peuples,
une lutte de classes du dominé contre le dominant, l'inverse
n'ayant été, jusqu'ici, qu'une violence institutionnalisée
par les peuples dominants. Esclavagisme et colonialisme en
sont des exemples.

Chacune des formes de la violence à l'intérieur du
groupe pourrait faire l'objet d'un long développement, qui
en analyserait les facteurs multiples et privilégierait certains d'entre eux. Mais dans le cadre que nous avons tracé,
le lecteur peut lui-même réaliser ces développements. Nous
serions étonnés s'il ne retrouvait pas toujours à leur origine
l'apprentissage de l'action et du bien gratifiant et la
recherche de la dominance permettant de s'attribuer ce
dernier. On peut dire que dès qu'un groupe humain se
différencie et s'isole par rapport à un ensemble, par sa
fonction, ses ressources économiques, son pouvoir politique, ses origines ethniques, etc., du corporatisme aux
sectes religieuses ou idéologiques, il tentera de défendre
ses « droits » qui ne sont généralement que ses avantages
acquis ou perdus, par le discours d'abord et sa diffusion,
par la violence ensuite lorsque le discours s'avère inefficace. Il faut noter, cependant, que certaines religions ont
largement servi le maintien des dominances en persuadant
les dominés que, plus leurs souffrances et leur misère

étaient insupportables, le fait de les supporter sans révolte était l'équivalent d'un chèque tiré sur un autre monde où ils seraient définitivement heureux. L'acceptation des statuts sociaux se fit souvent sans révolte, en admettant que les différences résultaient des lois divines et éternelles et que la justice n'était pas à attendre ici-bas, mais ailleurs. Il est aussi plus facile et plus consolant de croire à une fatalité transcendantale que d'accepter, de rechercher et de mettre en lumière quelques-uns des innombrables facteurs environnementaux qui, par niveaux d'organisation, enchaînent un homme à son destin. Un projet divin ne peut être que « juste » suivant notre conception humaine de la justice et mieux vaut, sans y rien comprendre, s'en remettre à lui qu'à un déterminisme aveugle à la hauteur de notre ceinture, mais aussi à la portée de notre main. Il n'est pas impossible pourtant d'imaginer que c'est par l'intermédiaire de ce dernier que le premier se réalise. Pourquoi pas ? Mais alors ce déterminisme aveugle, à portée de notre main, pourquoi ne pas y porter la main ? Pourquoi ne pas essayer de le démonter en pièces détachées, comme un enfant démonte ses jouets mécaniques, même si ensuite il ne sait plus les remonter ? De toute façon, l'action est anxiolytique. La croyance en la « bonté » divine aussi d'ailleurs, bien que cette bonté ne vole pas plus haut que la nôtre, bien sûr. A chacun donc de se laisser guider par le type d'anxiolyse qui le fatigue le moins, mais sans forcer l'autre, surtout par la violence, à suivre le même chemin.

LA VIOLENCE INTER-ÉTATS : LA GUERRE

Toutes les statistiques montrent que la violence interindividuelle n'a cessé de décroître au cours des derniers siècles. On peut découvrir de multiples causes à cette évolution :

psychosociologiques et économiques avant tout. La diffusion des connaissances, l'alphabétisation, l'extension des modes d'expression langagiers à un plus grand nombre d'individus, puisque parler c'est déjà agir sur ses contemporains, ont sans doute eu un rôle favorable. L'élévation du niveau de vie, l'augmentation généralisée chez les peuples industrialisés de la durée de la vie, moins sujette aux aléas des maladies infectieuses, ont fait attacher plus de prix à cette vie et désirer la protéger. On a pris l'habitude de vivre plus longtemps. Le déplacement des inégalités économiques et de pouvoir entre les individus, l'uniformisation et la banalisation par les mass media des modes de vie ont rendu la violence interindividuelle moins fréquente sans doute, mais ce ne sont là que quelques facteurs parmi bien d'autres, plus ou moins évidents, qui sont intervenus pour transformer les mentalités.

Dans le même temps, alors que les inégalités devenaient moins criantes, elles en devenaient aussi plus insupportables. La violence interindividuelle a d'abord été remplacée de plus en plus par la violence des sous-groupes à l'intérieur du groupe. Les grandes idéologies socio-économiques leur ont fourni un discours logique bien adapté aux problèmes de l'époque, mais ce discours, reçu et assimilé par des couches sociales qui ne l'avaient pas sécrété, a été reçu comme vérité révélée, immuable et éternelle. Il faut reconnaître d'ailleurs à ces idéologies d'être applicables à de multiples niveaux d'organisation, des groupes à l'espèce entière. Ce n'est pas une de leurs moindres qualités. Malheureusement, elles ont été généralement rétrécies à l'interprétation d'un problème local, sans en chercher les conséquences planétaires. L'ouvrier qui est au SMIC et qui a toutes les peines du monde à nourrir, loger, habiller sa petite famille, a sans doute toutes les raisons de se mettre en grève et de militer à la CGT pour obtenir le maintien de son pouvoir d'achat. Mais l'enfant décharné qui meurt de faim au soleil ne se met pas en grève et ne peut militer. Le militant vous dira que c'est aussi pour cet enfant qu'il se bat, même si, momentanément, son augmentation de salaire se répercute sur les prix des objets produits par l'industrie dans laquelle il travaille et retire encore un peu plus de nourriture aux pays auxquels on les vend, pays dits, de façon euphémique, en voie de développement. En réalité, le militant pense à lui d'abord, c'est bien normal, à ceux de sa « classe » ensuite, parce qu'il ne peut obtenir seul son augmentation de salaire et doit « s'unir ». Agir en groupe est plus efficace. Ce n'est que son discours qui se trouve gonflé de toute la révolte d'un monde qu'il ne voit pas, qu'il n'entend pas. Le pilote de bombardier déversera, sans crise de conscience, son chapelet de bombes sur une agglomération où se trouvent des écoles, des crèches, des hôpitaux, parce qu'il ne voit pas les suppliciés, qu'il n'entend pas leurs cris d'agonie et parce qu'il défend une juste cause, toujours. De même le militant déverse ses bombes économiques ou idéologiques en s'efforçant surtout qu'elles ne tombent pas sur lui ou sur son entourage. Ce faisant, il agit pour faire disparaître l'exploitation de l'homme par l'homme, pour l'abolition du capitalisme et la justice sociale. D'ailleurs, il milite pour un nouvel ordre social planétaire, c'est sûr, mais d'abord aux « couleurs de la France », c'est bien normal.

Ah ! niveaux d'organisation ! que de violences absurdes ont été commises par ceux qui vous ignorent ! Mais on peut dire aussi qu'il faut commencer par un bout. Alors on peut tirer sur la bobinette la plus proche, en espérant que la chevillette de l'ensemble cherra. C'est sous-estimer peut-être la solidité des structures et, en espérant les briser par la violence, favoriser l'apparition de nouvelles structures qui, en utilisant d'autres moyens, aboutiront quand même à l'établissement d'échelles hiérarchiques de dominance.

Nous arrivons maintenant à nous poser la question de savoir comment ces groupes humains, déjà terriblement conflictuels, réunis en Etats, vont exercer la violence contre l'ennemi extérieur, l'autre Etat. Quand celle-ci est-elle apparue dans l'espèce humaine ? A-t-elle toujours existé, comme les dominants conservateurs l'affirment pour valider leur pouvoir et comme les dominés le confirment pour accéder à la dominance ?

Il est certain que l'époque paléolithique étalée sur des centaines de milliers d'années est trop éloignée pour nous fournir autre chose que des indices. Mais de nombreux paléontologistes sont d'avis que, à ces époques dites primitives, la guerre et la violence collective ne semblent pas avoir existé. J. Dastugue [1], un paléopathologiste, récemment écrivait : « Plus on remonte le temps et moins l'on trouve sur les squelettes humains les stigmates de grands délabrements traumatiques consécutifs aux blessures que peuvent s'infliger mutuellement les protagonistes des affrontements guerriers. [...] Non seulement nos ancêtres préhistoriques devaient ignorer cet affrontement collectif qu'on nomme la guerre, mais encore il est probable qu'ils n'avaient rien à voir avec l'image qu'on se fait trop souvent d'eux : des sauvages. [...] Le paléopathologiste ne peut que répondre, naïvement, en disant son impuissance à en trouver les preuves, voire les indices, sur leurs squelettes. [...] Il semble exister une prédominance des accidents " domestiques " qui cadre infiniment mieux avec le mode de vie pacifique et paisible qui devait être celui de ces populations préhistoriques, peu nombreuses et disséminées [...] Dès qu'on aborde les périodes préhistoriques antérieures à l'âge des métaux, on a peine à trouver les séquelles de fractures du crâne ainsi que celles des grands os longs des membres (cuisse, jambe, bras). » Plus près de nous encore, les premières civilisations néolithiques, de dix à six mille ans avant notre ère, paraissent avoir présenté un comportement pacifique. Une paléontologiste américaine, M. Gim-

---

1. J. DASTUGUE (1982), *la Recherche*, n° 136, pp. 980-988.

bertas[1], étudiant l'Est méditerranéen au néolithique, montre que ces premières civilisations, sédentarisées par l'agriculture et l'élevage, étaient matrilinéaires, égalitaires et sans armes. Elles furent soumises par des peuplades caucasiennes de cavaliers chasseurs. On peut donc imaginer que l'abondance relative qui a résulté de l'invention de l'agriculture et de l'élevage n'a pas été immédiatement répandue à travers les peuplades du moment. C'est encore sans doute la différence qui fut à l'origine de l'agressivité compétitive des moins favorisés à l'égard des plus favorisés. Ce fut, tout porte à le croire, la compétition pour l'objet gratifiant, à savoir les réserves, le territoire qui les produisait et les techniques qui permettaient de les créer, qui fut à l'origine des hiérarchies et des dominances comme de la notion de propriété. Mais parallèlement, le polytechnicien, du paléolithique se transforma dans la cité en spécialiste monotechnicien, incapable dès lors de subvenir seul à ses besoins. Il lui a fallu s'intégrer au groupe en lui fournissant le produit de son savoir technique spécialisé, le groupe lui fournissant en contrepartie les autres produits spécialisés, puisqu'il n'avait ni le temps, ni les connaissances nécessaires pour les produire lui-même. Le niveau de vie s'éleva, les besoins s'accrurent et se diversifièrent, les fonctions sociales se multiplièrent. Parmi celles-ci, certaines ne demandaient qu'un apprentissage assez simple, d'autres exigeaient déjà un certain niveau d'abstraction. Pour administrer la production et la comptabiliser, les scribes devinrent nécessaires, l'arithmétique aussi. Le chef de la horde colonisatrice prit le pouvoir entouré de ses guerriers. La démographie subit une accélération considérable. Les besoins alimentaires s'accrurent aussi en conséquence. La conquête de nouveaux territoires à exploiter s'imposa. La guerre pour les obtenir, c'est-à-dire les prendre à d'autres groupes humains limitrophes, en fut la conséquence tou-

---

1. M. GIMBERTAS (1978), *la Recherche*, 87, pp. 228-235.

jours sous le couvert d'un discours idéologique, le plus souvent religieux mais dont les motivations étaient fondamentalement économiques. Il est probable cependant que le narcissisme des tyrans eut également son mot à dire, tout en exprimant celui des individus qui se reconnaissaient en lui.

Cette fresque, un peu simpliste sans doute, fait appel une fois encore à une causalité linéaire dont la seule chance de se rapprocher d'une certaine réalité vient du fait que, au départ, la multiplicité des facteurs en relation réciproque était moindre qu'aux époques suivantes où les historiens doivent se débattre dans un nombre croissant de facteurs secondaires. Ceux-ci prennent parfois une importance prépondérante dans l'esprit de l'historien qui les dénombre, au gré de sa propre affectivité et des conceptions de son époque. C'est pourquoi sans méthodologie systémique et si l'on n'implique pas la biologie comportementale dans le schéma, il paraît difficile de s'y reconnaître.

Nous retrouvons donc en étudiant l'agressivité inter groupes étatiques les mêmes lois comportementales que celles qui régissent l'agressivité interindividuelle et à l'intérieur du groupe, mais exprimées à un nouveau niveau d'organisation, celui de l'Etat. Louis XIV pouvait bien dire : « L'Etat, c'est moi », il n'était lui que parce que, au-dessous de lui, l'ensemble humain dont il était roi était organisé dans un système hiérarchique de dominance, structure abstraite de relations humaines dont il personnifiait l'existence et dont chaque individu, à des degrés divers, bénéficiait. Ce n'est que lorsque le bénéfice pour certains ne fut plus évident que la structure étatique fut contestée puis détruite. Le rôle d'un chef d'Etat apparaît dès lors secondaire, se limitant à concrétiser la structure abstraite, institutionnalisant dans un espace, le territoire, la forme des rapports interindividuels de hiérarchie et de dominance.

Il fallut des siècles pour réunir des groupes humains

vivants dans des espaces géoclimatiques différents, ayant
des besoins, des habitudes alimentaires, des coutumes, une
appréhension de l'espace différents, un véhicule de communication, c'est-à-dire un langage, différent, etc., et en
faire cette unité abstraite que l'on nomme la France, dont
les limites territoriales furent pendant ce temps en perpétuel remaniement. Pour faire naître ce sentiment de
communauté dite nationale, il était nécessaire de faire taire
la violence inter-groupes et de fournir un objet de ressentiment commun en dehors du groupe. Pour faire taire
l'animosité due aux différences entre les éléments du
groupe, il s'avéra nécessaire d'accuser les différences avec
les groupes qui n'en faisaient pas partie, nécessaire de
décrire l'ennemi du moment, le bouc émissaire, comme un
non-homme, la dignité d'homme se reconnaissant par
l'appartenance au groupe : c'est le boche, le viet, le bicot,
le métèque, le crouille, etc. L'unité nationale se fait
toujours contre l'ennemi du dehors.

C'est alors que les idéologies entrent en jeu, racistes
d'abord, que l'on voit éclore déjà à l'intérieur du groupe,
lorsqu'une compétition s'engage entre les sous-groupes,
forcément hétérogènes, qui le constituent : compétition
pour le travail, les fonctions, le pouvoir économique ou
administratif, l'espace, etc. On peut dire que le racisme est
beaucoup plus répandu que la notion imaginaire de
« race » ne le laisserait entendre. Cette dernière notion,
reconnue aujourd'hui comme ridiculement fausse, n'intervient que pour fournir une étiquette au comportement de
rejet de la différence et *un support à l'image narcissique de
soi-même*. Mais tout groupe humain qui s'isole, qui restreint ses relations avec ceux qui l'entourent, quels que
soient les innombrables facteurs, surtout socio-économiques, qui sont à l'origine de cette sporulation, crée son
propre racisme et donne naissance à un racisme « anti ».
Inutile alors de chercher à qui revient la faute. Seul un
discours animé par le racisme pro ou anti fournira une

explication puérile dans l'enchaînement linéaire des responsabilités. Nous avons déjà exprimé ce que nous pensons
de la causalité linéaire et de la notion de responsabilité. En
particulier, un des facteurs importants de la sporulation
d'un groupe social, c'est, comme pour les bactéries,
l'agressivité du milieu qui n'admet pas sa différence. Mais
cette différence résulte elle-même de l'image différente que
se fait de lui-même ce groupe social, image qui le flatte et
qu'il accompagne d'un discours raciste ou culturel.

L'idéologie, quelle qu'elle soit, va exalter la *fatuité*
individuelle. L'individu appartient alors à la race ou au
peuple élu ou à la race ou au peuple des seigneurs, et même
situé au bas de l'échelle sociale dans le groupe auquel il
appartient, il se fera une image idéale de lui-même, bien
supérieure à celle qu'il aura de celui qui n'appartient pas à
ce groupe. Il est prêt à utiliser la violence pour faire
admettre à l'extérieur des frontières sa suprématie. Cette
violence elle-même devient la preuve indiscutable de sa
supériorité « raciale ». Il est prêt à abandonner, et aban-
donne même le plus souvent, toutes ses revendications à
l'intérieur du groupe, pour assouvir son narcissisme individuel au sein de la prétention idéologique du groupe. Il a
enfin trouvé l'autre, non dans la vie, mais dans la mort. Les
classes sociales et culturelles s'effacent devant l'égalité au
regard de la mort au combat. Un discours exalte ce don de
la vie individuelle pour quelque chose qui la dépasse et qui
n'est que la structure hiérarchique de dominance dans
laquelle elle est inscrite. On peut toucher son champ, sa
maison, les membres de sa famille, ses amis, mais on ne
peut toucher la Patrie. D'où la confusion fréquente entre le
sentiment national et la structure socio-économique qui
réunit les éléments d'une nation. On s'est battu, on a tué et
l'on est mort noblement, aussi bien pour la France que
pour la République. On meurt pour son drapeau, pour son
roi, que l'on peut toucher, mais qui symbolisent l'intoucha-
ble, la Patrie, dans laquelle tant bien que mal on arrive à

vivre, à communiquer grâce au même langage, à se situer hiérarchiquement par rapport aux autres, à s'isoler et à se réunir. L'ennemi pille, tue et viole. « Ils viennent jusque dans nos bras égorger nos fils, nos compagnes. » Mais l'ennemi est motivé par la même abstraction patriotique, par le même altruisme apparent. Mourir pour des marchandises, pour la conquête des marchés, pour la dominance d'industries nationales à l'extérieur des frontières, ou plus simplement pour le maintien au pouvoir de certains individus eux-mêmes inconscients du pion banal qu'ils représentent sur un échiquier économique terriblement confus, n'a rien de « noble » en soi. L'unité nationale est difficile à réaliser sur des motivations aussi terre à terre. Alors que la mobilisation pour défendre la Patrie et l'image idéale que l'on a de soi est toujours efficace. Lorsque les multinationales d'origine américaine envahissent le territoire national, conformément à la structure socio-économique du « monde libre », on ne met pas en ligne les tanks, les avions d'assaut, ni même les combattants de l'ombre pour défendre la Patrie. La structure hiérarchique de dominance profite en effet de cet envahissement et se contente fort bien de sa dominance localisée, même si elle est entièrement dominée par un pouvoir qui vient d'ailleurs. Pourquoi, si l'on peut gagner de l'argent en exploitant en France des brevets achetés en Amérique, et conserver ainsi sa dominance, risquerait-on de la perdre en investissant dans une recherche localisée, dont l'avenir est toujours incertain ? C'est peut-être même cette motivation du profit pour conserver les dominances qui permettra la planétisation de l'économie, les échelles hiérarchiques de dominance étatique s'inscrivant dans des échelles hiérarchiques de dominance par blocs d'Etats, ce qui existe déjà, depuis Yalta, avant d'atteindre le niveau d'organisation de la planète. Mais alors qu'est-ce que l'individu y aura gagné ? Son chef du bureau sera toujours là et la motivation de cet ensemble humain planétaire restera encore la recherche de la dominance. L'individu s'inscrira toujours dans une hiérarchie de pouvoir et non de fonction [1], même si l'on peut envisager qu'alors les guerres mondiales disparaissent. Elles feront sans doute place de plus en plus au terrorisme parcellaire des inhibés dans leurs actions. Si une idéologie socio-économique planétaire est concevable par pression de nécessité, idéologie qui ne peut être celle du libéralisme ou du communisme contemporains, mais quelque chose d'autre, elle ne résoudra pas pour autant ces problèmes biochimiques, neurophysiologiques et comportementaux de l'appropriation, de la compétition pour l'objet gratifiant et la réalisation de l'image idéale du moi, sans une large diffusion de la connaissance de leur existence et de leurs mécanismes.

Ce passage progressif de la violence à l'intérieur du groupe à celle qui s'établit entre les Etats nous permet peut-être de faire une distinction entre le *terrorisme* et la *guerre*. Nous avons déjà signalé le premier en parlant de la violence à l'intérieur du groupe. On peut dire que le terrorisme est le langage des dominés, qui ne parviennent pas à se faire entendre, à trouver le coopérant de la triade, le langage de ceux qui n'en ont plus. La guerre, le plus souvent, est le langage des dominants. On ne ferait pas la guerre si on n'espérait pas la gagner. « Nous vaincrons parce que nous sommes les plus forts » (tu te souviens ?). Comme affectivement (et là je n'engage que moi), je serais plutôt pour la défense de la veuve et de l'opprimé, je serais plutôt aussi pour le terrorisme que pour la guerre, *bien que fondamentalement adepte de la non-violence*. Il s'agit d'une échelle de valeurs personnelle sans doute. Mais la guerre est tellement prétentieuse, arrogante, triomphaliste et bête dans ses arguments et les motivations à la recherche de la dominance de la structure socio-économique qui l'entreprend qu'on ne peut être que clément envers un terrorisme

---

1. H. LABORIT (1973) : *la nouvelle Grille*, R. Laffont éd.

qui ne cherche généralement pas la dominance puisqu'il ne fait pas la guerre, mais seulement à signaler qu'il existe quelque part des dominés, esclaves, prêts à donner leur vie, obscurément, sans avoir leur nom sur un monument aux morts, sans décorations, récompensant leur « courage », mais simplement parce qu'ils en ont « ras le bol » de la justice des dominants. Il est vrai que tous les actes de terrorisme ne comportent pas cette attitude sacrificielle désespérée. En quelques années les meurtres perpétrés par les dominants sont oubliés parce que la structure socio-économique s'est institutionnalisée et les meurtres beaucoup moins massifs, meurtres parcellaires, très loin du génocide, provoqués par le terrorisme, provoquent une révolte bien-pensante des citoyens appartenant aux Etats dominants. Si l'on veut bien être un instant lucide, il faut reconnaître que le meurtre interindividuel, ou à l'intérieur du groupe, ou entre les groupes, ou entre les Etats, est toujours un meurtre et qu'il résulte de l'inhibition de l'action gratifiante dans une activité compétitive. C'est au nombre de morts, à la réussite ou à l'échec final que, le plus souvent, on le juge, l'absout, le glorifie, ou le condamne. D'ailleurs, suivant le côté où l'on se trouve, on parlera de terroristes ou au contraire de résistants pour désigner les mêmes hommes.

Après le troc, la production de plus en plus diversifiée des groupes humains, suivant leur implantation géoclimatique et leur culture, s'échangea sur des distances beaucoup plus grandes et le phénomène aboutit, j'imagine, à la naissance des monnaies, moins encombrantes et plus durables que la plupart des produits échangés. L'économie prit alors un tournant décisif. Surtout à l'époque contemporaine, la véritable richesse d'un ensemble humain est, plus que les matières premières et l'énergie qu'il possède sur son territoire, l'ensemble des techniques permettant de transformer celles-ci en objets d'échange ou de combat. La richesse d'un groupe humain est abstraite. L'instrument de la dominance qui fait la force de la monnaie est la matière grise. Elle se juge au nombre des brevets qu'il est possible d'exploiter, sans les acheter en dehors de son territoire. Les matières premières et l'énergie ne servent pas à grand-chose si l'on n'est pas capable de les transformer en objets marchands.

Il paraît en résulter deux conséquences. Dans les pays industrialisés, il faut pour échanger offrir aux autres ensembles humains les produits d'une matière grise, autrement dit d'une technologie, qu'ils ne possèdent pas ou qu'ils maîtrisent moins bien. Le problème devient de plus en plus difficile du fait de l'internationalisation des technologies. Il est admis que si l'on consomme plus à l'intérieur du territoire et que la production demande l'importation de matières premières et d'énergie qui n'est pas compensée par l'exportation des produits d'une technologie de pointe, moins chère et plus originale que ce qui se fait ailleurs, la faillite est inévitable. Or, nous avons eu l'occasion de dire précédemment que le nombre d'individus d'un Etat intervenait statistiquement dans la probabilité de trouver des technologies nouvelles, à côté bien sûr de la scolarisation. Les plus grands Etats ont donc plus de chances d'imposer leur dominance que les plus petits. D'où la constitution des blocs d'Etats avec soleil et satellites. Certes on pourrait imaginer une spécialisation fonctionnelle des Etats comme elle existe à l'intérieur de ceux-ci et à l'intérieur des organismes vivants. Mais alors l'autonomie nationale disparaîtrait, ce qu'elle fait de toute façon d'ailleurs, à moins que l'Etat dominant par le nombre accepte de ne pas produire ce que d'autres Etats produisent et devienne donc lui aussi dépendant de ces derniers. Ce n'est pas demain la veille.

On assiste même à l'évolution inverse dans les pays du

tiers monde, si longtemps et toujours exploités du fait
d'une technologie arriérée. L'état de soumission n'étant
pas particulièrement agréable, même sur le plan du narcissisme national dont nous parlions plus haut, ces Etats
cherchent à copier le processus qu'ils constatent avoir permis l'établissement des dominances des pays industrialisés. Il s'ensuit un mimétisme souvent préjudiciable, car
aboutissant à une inadaptation des hommes et de leurs
rapports dans un espace géoclimatique particulier, plus
dégradante que l'adaptation précaire qu'ils avaient établie
avec leur espace au cours des siècles. Il est évidemment
plus long et plus difficile d'imaginer et d'inventer que de
copier.

Cela nous amène au dernier volet de cette étude de la
violence : celui des rapports entre pays nantis et défavorisés, entre le Nord et le Sud. Nous avons déjà dit pourquoi,
selon nous, les peuples occupant les régions tempérées
dans l'hémisphère nord avaient été poussés, à la fin de la
dernière glaciation, à la découverte de l'agriculture et de
l'élevage et comment la révolution néolithique avait été par
la suite à l'origine de toute l'évolution technique. Quoi
qu'il en soit, d'innombrables travaux, surtout depuis la fin
de la dernière guerre et avec les processus de décolonisa-
tion, ont été consacrés à ces problèmes. Nous n'aurions
rien de bien original à leur ajouter, concernant aussi bien
les luttes tribales ou de classes au sein des Etats nouvellement décolonisés, la violence se faisant jour entre eux, que
la violence plus perfide qui continue à s'exercer, souvent
sous la protection d'un discours paternaliste, humanitaire,
voire altruiste, entre ces pays et les pays industrialisés.

Plutôt que d'exprimer des lieux communs, nous convions
le lecteur à appliquer lui-même les grands schémas comportementaux que nous avons développés à ce problème
angoissant de notre monde contemporain. Peut-être décou-
vrira-t-il que ce ne sont pas les grands sentiments, les actes
prétendument généreux qui seront capables de résoudre

ces problèmes socio-économiques mais une conception planétaire nouvelle des rapports humains. Et cela n'est évidemment possible que par une transformation généralisée et profonde de l'image que l'homme a de lui-même, de ses prétendues valeurs dont l'effritement le conduirait, paraît-il, à sa perte, alors que ces mêmes valeurs ont fait germer et s'épanouir ce monde de sauvages dans lequel nous sommes plongés.

ÉPILOGUE

La violence a changé progressivement de niveaux d'organisation pour s'exprimer. Alors que la violence interindividuelle a considérablement diminué, sous ses formes brutales du moins, sinon sous ses formes plus camouflées, alors que la violence à l'intérieur du groupe s'est de plus en plus verbalisée, et qu'il en est de même dans l'Etat, la violence entre les Etats s'est développée, le plus souvent d'ailleurs comme moyen interposé de lutte entre les blocs d'Etats. La plus grande efficacité des armes l'a rendue, sous cette forme, plus meurtrière, étendue du guerrier à toute la population, les blocs hésitant encore à s'affronter avec l'arme nucléaire.

On peut alors se demander pourquoi ce n'est pas la forme de violence entre les Etats dont on parle le plus. Tous les moyens de communication de masse, avides de sensationnel, s'empressent de diffuser l'annonce des meurtres, des attaques à main armée gangstériformes, des viols, des prises d'otages, en leur accordant plus de place et d'importance qu'aux tueries, aux génocides, aux tortures qui sont perpétrés par les Etats, en guerre ou non. Les Etats seuls ont le droit de tuer, ils ont seuls droit au crime Il n'y a guère qu'Amnesty International qui s'en occupe, et Menahem Begin est, comme elle, prix Nobel de la Paix. Il est possible que ce gonflement d'un type de violenc en régression ait pour but de créer l angoisse individuelle, qui cherchera alors refuge et protection dans l'Etat, sa police et ses lois. Dans certains cas parfois, on se doute qu'une opposition politicienne cherche à utiliser cette angoisse pour contester l'efficacité répressive d'un pouvoir étatique qu'elle a perdu. Le bon citoyen, bien sous tous rapports, qui tient plus encore à ses biens qu'à sa vie, accepte que la justice mette sous la même étiquette de « crimes » les atteintes à la personne et aux biens ; tuer quelqu'un qui vous vole est un acte généralement pardonné du fait de la légitime défense. Un monde de petits propriétaires et de libres entreprises ne peut susciter qu'une justice de super-marchés. Peut-être cependant permet-elle d'éviter pis encore.

Si l'on se souvient de ce que nous avons écrit au début de cet ouvrage concernant les systèmes ouverts et les systèmes fermés, concernant ce que nous avons dénommé l'information-structure et l'information circulante, on s'aperçoit que toute violence résulte de l'affrontement de deux informations-structures, de deux systèmes fermés sur le plan informationnel, tentant d'établir leur dominance nécessaire à la réalisation de leur approvisionnement énergétique et matériel, lui-même exigé par le maintien des structures. De même on conçoit que, pour que disparaisse cet affrontement, il faut que ces deux structures fermées s'ouvrent par leur englobement dans une autre structure commune, permettant de trouver une synergie d'ensemble à leurs finalités.

Comme l'individu dominant, la nation dominante se considère dénuée d'agressivité. Mais comme l'individu dominant, elle a tendance à étendre son information-structure, son style de vie, considérant que tout le monde doit l'accepter, l'admirer et le partager. Toute structure socio-économique différente de la sienne constitue, pour une nation dominante, une structure plus ou moins « barbare » ou au contraire concurrente et dès lors ennemie, et puisque la sienne lui a permis d'accéder à la dominance, les autres doivent l'imiter et accepter son « leadership ». Elle a aussi tendance à étendre son emprise économique et à considérer que tous les biens matériels du monde lui sont dus, puisque c'est elle qui sait le mieux les exploiter techniquement. En échange, elle fournit son amitié, sa protection et quelques broutilles à consommer, sans jamais y perdre, bien entendu. Ceux qui n'acceptent pas cette soumission sont des hérétiques, des « méchants » qui doivent être punis, car ils menacent la paix du monde dont elle est gardienne. Toute contestation, tout essai de dégagement économique ou structurel déclenchent de sa part des représailles économiques ou guerrières qui sont toujours justifiées car elles défendent une cause juste, en général celle de la liberté. La liberté ne peut se concevoir évidemment que dans l'acceptation de sa dominance. Il semble résulter de ce schéma qu'aucun progrès vers la paix ne peut être envisagé tant que la communication sociale aura pour but, d'une part, de maintenir à l'intérieur d'un groupe humain la structure hiérarchique de dominance en ne diffusant que les jugements de valeur favorables au maintien de cette structure et, d'autre part, de refuser l'inclusion de ce groupe humain dans un ensemble englobant, sans possibilité pour lui de dominance ou de soumission.

L'ouverture des structures sociales peut se faire horizontalement et verticalement. Par horizontalement nous voulons dire en associant les sous-ensembles ou parties de l'ensemble social fermé avec leurs équivalents dans un autre ensemble. Par verticalement, nous voulons dire par l'inclusion de l'ensemble dans un ensemble qui le comprend, mais qui doit dès lors posséder les mêmes finalités. Si le nouvel ensemble formé ferme sa structure sur elle-même, il trouvera vite une autre structure compétitive et antagoniste pour s'opposer à lui. L'approche socio-économique systémique ne peut donc se terminer qu'au niveau d'organisation de l'espèce.

Processus multifactoriels et complexes

L'approche que nous venons de tracer peut être considérée surtout comme sociologique ou politique. On est alors tenté d'en opérer une autre que l'on pourrait définir comme plus précisément économique. Mais à quoi se résume l'économie, si ce n'est pas avant tout dans la façon dont l'homme met en forme la matière et l'énergie de telle façon qu'il maintient ses structures individuelles ou de groupe, le plus souvent par l'intermédiaire d'une production marchande ? Devons-nous alors revenir sur les notions précédemment abordées de l'importance de la technologie et du nombre d'individus capables de la faire progresser à l'intérieur d'un Etat ? Sur le fait que l'économie, vue sous cet aspect très global, va permettre aux individus d'assurer l'alimentation et la protection de leur structure organique sous ses formes variées, arbitrairement séparées en biologique, psychologique, culturelle, etc. ? Au niveau d'organisation des ensembles humains, c'est l'équivalent de l'alimentation au niveau des organismes. C'est l'aspect thermodynamique du maintien des structures. Mais nous savons qu'on ne peut séparer la structure, ensemble des relations existant entre les éléments d'un ensemble, de cet aspect matériel et énergétique sous lequel se présentent ces éléments. Les rapports économiques de production sont donc aussi des rapports sociologiques. C'est pourquoi sans doute on utilise le terme « socio-économique ». Comment dans ce cas séparer, dans l'étude de la violence, un aspect économique, un aspect psychologique, sociologique, un aspect confessionnel ou politique ? Comment pourraient-ils évoluer séparément ? Comment peut-on étudier l'aspect thermodynamique (économique) et informationnel (psychologique, sociologique, confessionnel, politique) en ignorant la façon dont sont eux-mêmes structurés les éléments de cet ensemble, les individus dans leur chair (matérielle) consciente et inconsciente (informationnelle) ?

Un exemple bénin parmi bien d'autres est celui du tourisme. Il est lié à la notion de loisirs opposée à celle de travail. Mais la notion de travail s'oppose aussi à celle de repos, de récupération. Pendant le travail, toute structure vivante libère de l'énergie mécanique (travail musculaire) et biologique (travail nerveux, cardio-vasculaire, endocrinien). Toutes les formes vivantes doivent assurer le rétablissement de leur structure qui tend à sa destruction au cours du travail. Par exemple, une cellule, grâce à son activité métabolique, rétablira les concentrations ioniques de chaque côté de sa membrane que le potentiel d'action a eu tendance à égaliser, égalisation qui se réalise définitivement dans la mort. Cette récupération se fait suivant certains rythmes, différents pour chaque niveau d'organisation de l'organisme considéré : rythmes cellulaires, d'organes, de systèmes et de l'individu en totalité. Ces rythmes sont dépendants de multiples facteurs, internes d'une part, liés à la structure même de l'élément considéré, et externes, liés aux conditions physico-chimiques de l'espace qui entoure cet élément. Le rythme nycthéméral ou circadien est un des mieux connus : il dépend de l'alternance des jours et des nuits, des variations d'éclairement et d'obscurité. Il règle en partie les alternances de veille (travail) et de sommeil (repos, récupération).

S'il en est bien ainsi, il est impossible de confondre dans la vie de l'homme contemporain les notions de *loisirs* et de *repos*. Nos ancêtres du paléolithique devaient, chaque jour, pour assurer leur nourriture, pour éviter la famine, assurer un certain travail : chasse et pêche. Ce travail est devenu pour l'homme contemporain une activité ludique, de loisir. Les loisirs répondent donc, semble-t-il, à une autre notion que celle qui en fait l'opposé de celle du travail. Si les loisirs sont bien contenus dans les moments où l'on ne travaille pas, dans le temps dit « libre », ils ne sont pas synonyme de repos. Nous sommes biologiquement obligés, chaque jour, de nous reposer après avoir fourni un certain travail, de dormir, après l'éveil. Ce repos nécessaire au maintien de la « force de travail » ne peut être conçu comme un loisir. En réalité, les loisirs ne s'opposent pas au travail, mais à l'*ennui*. Ils ne deviennent vraiment nécessaires qu'à partir du moment où le travail devient ennuyeux. Nous avons schématisé ailleurs les raisons qui rendent ennuyeux le travail de la majorité des hommes contemporains : *parcellisation* qui lui fait perdre sa signification d'ensemble, absence d'imagination et *automatisation* des actes, *dépendance* hiérarchique dans le cadre de leur accomplissement, *incarcération* à l'intérieur d'une classe sociale et professionnelle aussi bien pendant le travail que pendant le repos, impossibilité des *échanges* d'information autres que professionnels. L'ennui est le résultat de la disparition progressive des motivations autres que salariales.

Du fait de ce rétrécissement global de l'horizon des activités humaines, la deuxième partie du cycle travail/repos pourrait assurer une détente au sein d'une structure familiale récupératrice. Mais du fait même de l'activité productrice industrielle, la famille elle-même est passée d'une structure tribale, puis élargie, à une structure nucléaire, limitée à deux générations : parents, enfants. La femme elle-même travaillant pour assister l'équilibre économique du ménage, les enfants sont livrés à des éducateurs et les parents n'ont plus le temps, ni la motivation, pour s'en occuper. Les tensions à l'intérieur du groupe familial en augmentent d'autant et l'image idéale d'eux-mêmes que se construisent les enfants ne prend plus pour modèle le couple parental mais des modèles extérieurs, pris parfois aux bandes dessinées. Pour l'adulte, le repos journalier ne peut être ainsi confondu avec un loisir : il prolonge l'ennui, la monotonie impersonnelle du travail.

Les loisirs devront donc répondre à de multiples attentes, non à celle du repos, mais à celle du changement. Ils devront répondre à un désir de fuite de la monotonie : monotonie du paysage, monotonie des tâches, monotonie du décor humain, professionnel et social. Les loisirs devront répondre à une lessive écologique de l'individu, lui faire oublier le décor monotone et aliénant de son environnement matériel et humain. Ils devront rompre les rythmes automatisés de la vie urbaine, schématisés par « métro, boulot, dodo ». On peut même se demander si, du moins au début, la guerre, la « fraîche et joyeuse », n'est pas considérée par beaucoup comme un loisir, puisqu'elle n'est certes pas un travail.

Il y a quelques décennies, certains villageois contrôlaient entièrement le milieu qui les entourait et ne recevaient d'informations que de ce milieu étroit. De ce fait, ils n'éprouvaient pas d'angoisse en dehors de celle de la maladie et de la mort. Les mass media n'étaient pas là pour leur montrer que la vie n'était pas toujours celle qu'ils vivaient. Celle-ci était assez variée pour que leur attention demeure en éveil, pour éviter l'habituation et l'ennui. Elle évoluait au cours des saisons à la lumière du jour et non à celle des tubes au néon, et leur activité professionnelle s'intégrait à celle de l'ensemble du groupe social limité auquel ils appartenaient. Ils en voyaient la signification et l'indispensabilité. Ils ne prenaient pas de vacances, car ils n'avaient pas besoin de loisirs. La pêche, la chasse, le jardinage, le bricolage en tous genres faisaient partie de leur activité vitale sans période favorable, sans disséquer l'année par la rupture abrupte des embouteillages routiers. Les loisirs sont bien la conséquence de la société industrielle et expriment bien la fuite de l'ennui qu'elle sécrète.

Le tourisme nous apparaît alors comme l'équivalent des drogues psychotropes dont l'emploi permet de tempérer les névroses, multipliées par la vie urbaine dans les sociétés industrielles. H. Collom[1] a défini la folie comme « cette part de l'individu qui résiste à la socialisation, part que tout le monde possède à des degrés divers en fonction de l'action érosive de l'ordre social ». En ce sens le tourisme peut être considéré comme une thérapeutique des maladies mentales et même plus largement de la maladie tout court. Il permet l' « action » et nous avons montré que l' « inhibition de l'action » était le facteur fondamental de la pathologie générale. La fuite dans l'imaginaire et la créativité étant aujourd'hui rendues pratiquement impossibles du fait de l'automatisation des concepts et des comportements sous l'emprise des mass media, la fuite grâce à l'autonomie motrice est encore possible par le tourisme ou par le « trip », le voyage par la drogue ou la fuite définitive du suicide. Ce n'est pas une coïncidence purement aléatoire que le développement contemporain de ces comportements, sans rapport évident entre eux mais en apparence seulement. Il permet de comprendre aussi pourquoi le tourisme s'est beaucoup développé au cours des dernières décennies chez les vieillards. Inhibés dans leur activité professionnelle, privés de valeur économique, rejetés de la famille nucléaire, quand les possibilités économiques le leur permettent, ils voyagent. Les mêmes raisons permettent de comprendre la fringale des déplacements d'une jeunesse fuyant l'ennui qu'ont accepté leurs aînés, emprisonnés progressivement dans le filet récent de la productivité industrielle.

Ce côté thérapeutique du tourisme, d'aspect un peu négatif puisqu'il n'a l'intention que de traiter les symptômes d'une maladie, sans s'attaquer aux sources de la maladie elle-même, les sociétés industrielles, ne doit pas nous faire ignorer ses aspects positifs. Ceux-ci résultent des sources élargies d'informations directes qu'il permet. Le

! H. COLLOMB : « Pour une psychiatrie sociale », *Thérapie familiale*, Genève, 1980, *1*, 2, pp. 99-107.

contact entre cultures et comportements différents, une meilleure connaissance de l'autre à partir du moment où cette rencontre n'est pas organisée, programmée dans l'espace et le temps, « administrée » pour tout dire, « bureaucratisée » pour me faire comprendre, devrait être un moyen efficace de diminuer l'agressivité, la morgue et le contentement de soi et de son groupe ethnique, un moyen de planétiser l'espèce. Voir et entendre l'autre, c'est déjà diminuer l'angoisse de sa représentation indirecte et orientée, c'est en conséquence diminuer l'agressivité à son égard.

Or, curieusement, le tourisme, tel que nous le connaissons aujourd'hui, résulte de l'industrialisation de nos sociétés. C'est celle-ci qui a permis de rétrécir l'espace, en augmentant les vitesses de déplacement et des communications de tous genres. Notons cependant que cela est surtout vrai en ce qui concerne le tourisme étranger, moins en ce qui concerne le tourisme indigène à travers le pays, mais même dans ce dernier cas, il n'est pas sûr que le citadin contemporain, entrant en contact avec les quelques souches paysannes ou rurales qui subsistent, conserve aujourd'hui sa morgue d'hier à leur égard. Il n'est plus aussi certain de leur être supérieur. Il découvre les limites et les dangers de l'urbanisation désordonnée, les chaînes dans lesquelles elle le ligote, et le peu d'enrichissement qu'il lui doit.

Mais cet aspect positif du tourisme pour l'espèce n'est pas celui sur lequel s'appuient sa défense et son exploitation. Dans nos sociétés productivistes, il est devenu lui-même un facteur de production et traité comme tel. En transposant encore dans le domaine thérapeutique que nous avons déjà abordé, il ne s'agit pas de lutter contre l'origine sociologique des maladies, mais de développer l'industrie pharmaceutique, source de profit et d'entrée de devises, source aussi d'emplois nouveaux. La finalité du tourisme n'est même plus d'aider à supporter des condi-

tions de vie urbaine insupportables, de protéger l'efficacité
de la force de travail, mais de rentabiliser et d'exploiter un
besoin nouveau, né d'une fuite de pressions sociologiques
frustrantes et déprimantes. La question se pose même de
savoir comment favoriser le tourisme national des nationaux et comment on peut les empêcher de fuir à l'étranger,
car à efficacité égale, le tourisme à l'étranger de nos
compatriotes favorise une sortie de devises, alors que celui
des étrangers dans l'Hexagone en fait entrer. Quelle est la
part dans cette optique du plaisir individuel, de la découverte des autres et d'une culture différente ? L'économie
devient maîtresse une fois de plus des désirs humains,
l'imagination doit se soumettre à la rentabilité. Nous
n'accueillons pas les étrangers pour les mieux connaître,
mais pour leur soutirer des devises. C'est sans doute les
raisons de la pauvreté de notre accueil et de notre
xénophobie. L'étranger n'est accepté que pour les devises
qu'il nous laisse. Le tourisme, comme l'urbanisme, n'est
pas fait pour l'homme, mais pour faire de l'argent, l'argent
lui-même n'étant pas fait pour tout le monde. C'est aussi
sans doute la raison pour laquelle le tourisme nomade sera
moins encouragé que le tourisme fixe. Le premier pourtant
favorise le contact du visiteur avec un environnement
géoclimatique, culturel et humain plus vaste, plus varié et
donc plus enrichissant. Le tourisme fixe pérennise le plus
souvent les rapports de dominance, la ségrégation des
classes sociales, et focalise sur le groupe déplacé des
relations humaines qui auraient intérêt à utiliser un plus
grand objectif, un « zoom sociologique ».

   Il est vrai que l'individu des sociétés industrielles cherche
le dépaysement, mais fuit l'isolement ; être seul l'angoisse
et il n'a de cesse qu'il n'ait reconstitué, ailleurs que dans
son cadre journalier, un groupe, qui arrive parfois à être
aussi contraignant que celui qu'il a fui, souvent dans des
conditions d'hygiène plus précaires. Mais il a au moins
l'impression, fallacieuse au demeurant, qu'il l'a choisi

Tout le monde ne peut pas être navigateur solitaire. Les automatismes sociaux sont difficiles à effacer. D'où la réussite des Clubs Méditerranée, dans lesquels la palette des occupations est assez variée, mais pourtant orientée, organisée, programmée : un mélange bien proportionné de changements et d'habitudes, d'automatismes culturels réconfortants, sécurisants.

Puisque les sociétés industrielles sont là et bien là, et qu'il n'est pas question, à moins d'un cataclysme écologique planétaire, de les transformer en quelques années, puisqu'en conséquence le tourisme s'installe, se développe et s'inscrit même dans le cadre des industries nouvelles, qu'il complète l'industrialisation en fournissant un antidote rentable à la toxicité de cette dernière, quelle conduite adopter ?

Une fois de plus, malgré le désir d'une conduite volontariste, il est probable que nous nous laisserons entraîner par une pression de nécessité. Du fait que le tourisme apparaît avant tout comme une conséquence de l'industrialisation et de l'urbanisme, il faut noter qu'il va nécessairement conduire à une transformation de ses causes.

Tout d'abord, excepté pour les individus isolés, il nécessite le plus souvent une coordination des vacances scolaires avec les vacances professionnelles des parents. On peut cependant imaginer que les enfants puissent désirer se libérer quelque temps de l'aliénation résultant de l'autorité parentale et ne soient pas mécontents de pouvoir prendre leurs vacances séparément des parents. « Merci papa, merci maman, pour les jolies colonies de vacances ! » (P. Perret). Mais la société industrielle amenuisant les contacts familiaux, les parents souhaitent généralement « profiter » (*sic*) de « leurs enfants » pendant les vacances scolaires qui doivent alors coïncider avec leurs vacances professionnelles. L'étalement des vacances scolaires est facilement imaginable et réalisable, semble-t-il. Mais celui des vacances professionnelles nécessite une révision assez profonde du mode de production, en particulier pour les PME : utilisation maximale des machines, roulement d'un personnel de plus en plus spécialisé, nous devons dire automatisé, emploi d'un plus grand nombre d'individus pour remplir une même fonction. On conçoit que les problèmes du tourisme et de son développement soient capables de contribuer à la transformation des mécanismes de production. Sa signification première était, admettons-le, de permettre à l'individu de mieux supporter les nuisances de la société industrielle, alors que son existence risque de transformer cette société industrielle de telle sorte qu'elle devienne plus facilement supportable. Il semble s'amorcer là un feed-back de l'effet sur ses facteurs, que la cybernétique nous a appris à connaître. Un esprit chagrin pourrait d'ailleurs poursuivre le raisonnement et supputer que les rythmes de travail, le temps de travail, les risques, les contraintes, les inhibitions comportementales qu'ils entraînent dans nos sociétés industrialisées s'amenuisant pour favoriser la thérapeutique touristique, le tourisme puisse devenir de moins en moins utile, comme thérapeutique d'une inhibition de moins en moins angoissante. « Le malheur de l'homme ne vient-il pas du fait qu'il ne sait pas rester seul dans sa chambre à penser ? » (Pascal).

Une vie professionnelle moins aliénée par un travail sans joie pourrait laisser plus de temps aux individus pour acquérir une « culture » non professionnelle, non « immédiatement » rentable. Leur laisser le temps non pour se recycler, mais pour se cycler plus simplement dans des domaines qui ne sont pas encore enseignés. Il resterait encore à trouver les moyens de les motiver à cela. Les motivations sont en effet fonction des informations et la quête de celles-ci fonction des motivations. On tourne en rond.

Nous n'avons abordé le problème du tourisme que pour montrer qu'il n'est pas possible, sur un sujet quel qu'il soit, d'isoler arbitrairement l'aspect psychologique, sociologique, économique, ou politique, et surtout pour montrer qu'on ne peut isoler ce sujet des ensembles qui l'englobent et qu'il englobe. Le tourisme ne peut être à la fois considéré comme une marchandise, comme un moyen thérapeutique du mal-être contemporain dans les sociétés industrialisées et, du fait du mélange des cultures, comme une thérapeutique de l'agressivité. Suivant la finalité adoptée, sous la même étiquette de « tourisme », les moyens mis en place et les techniques utilisées pourront aboutir aussi bien à la fermeture qu'à l'ouverture d'une information-structure individuelle, de groupes ou d'ethnies. Il était intéressant à notre avis de prendre un sujet aussi éloigné en apparence du problème de la violence pour montrer qu'aucun problème n'est isolé et que tout problème n'est résolu depuis des siècles que par des moyens permettant d'affirmer la suprématie d'un individu, d'un groupe humain, d'un Etat, d'un bloc d'Etats, par le truchement d'un pouvoir dit « économique ».

Absurdité de la notion d'égalité quand l'agressivité compétitive domine les comportements

Nous avons eu l'occasion d'écrire que, à notre avis, si le meurtre intraspécifique n'existait pas chez l'animal, c'est que celui-ci ne parlait pas. Nous avons déjà signalé qu'en ce qui concerne le meurtre interindividuel, la justice, bavarde, vocalise sur l'opinion des plus forts, sur les règles établies par le système hiérarchique de dominance, et que devant ce flot langagier, le criminel ne peut répondre le plus souvent que par l'acte violent que l'utilisation perfectionnée d'un langage lui aurait peut-être permis d'éviter. Nous avons vu que la criminalité interindividuelle était avant tout une criminalité de classe ; de même, pour les groupes, que le terrorisme était le langage de ceux dont on n'a pas entendu la voix.

Mais inversement, en ce qui concerne l'agressivité entre les groupes, le langage évite de rechercher les motivations latentes et leur sert avant tout d'alibi. L'animal, ne parlant pas, se plie à la loi du plus fort ou s'enfuit. Il obéit à une pression de nécessité. Ses structures sociales sont figées mais concrètes, elles sont rarement meurtrières à l'intérieur d'une même espèce. L'homme au contraire essaie de formaliser dans un langage, dans des concepts abstraits, ses relations socio-économiques. Les groupes humains s'entretuent à partir de l'abstraction langagière. L'individu et les groupes souffrent des relations de dominance. Mais au lieu d'aller chercher, dans les mécanismes même de leur organicité, les faits concrets qui permettraient de les traiter comme les microprocesseurs dont ils sont si fiers, ils les habillent d'une phraséologie irréaliste qui, depuis des millénaires, a fait la preuve de son efficacité.

Nous avons déjà dit ce que nous pensions du concept de liberté. L'égalité est une autre baudruche remplie du vent des discours humains. Nous avons cependant, dans le cours de cet ouvrage, parlé des « inégalités ». Il est temps de préciser notre pensée. Si égalité signifie identité, ce que le signe « égale » porterait à penser, elle serait tout simplement absurde, chaque individu étant unique et différent de tous les autres. La seule « identité » (terme que nous devons mettre entre guillemets puisque deux choses identiques n'existent pas) consiste dans l'appartenance de tout homme à l'espèce humaine suivant certaines caractéristiques, biologiques, anatomiques, physiologiques et fonctionnelles. Mais quand nous disons que deux choses sont identiques, nous entendons par là que dans l'ensemble matériel qu'elles constituent, *à un certain niveau d'organisation,* abstrait par nous de ces deux ensembles, le niveau de la forme générale ou celui de la fonction par exemple, elles répondent toutes deux aux critères que nous avons établis pour définir cette identité. La notion d'égalité entre les hommes ne peut donc être envisagée qu'au niveau d'organisation de l'espèce. En ce sens, cela veut dire que tout homme est, ce que nous savons déjà, un homme. Or ce n'est pas dans ce sens que les discours « moraux », sociologiques ou politiques l'entendent. Est-ce que par hasard l'égalité entre les hommes leur conférerait les mêmes devoirs ? Dans ce cas, l'autorité du « Dieu vengeur », de Yahvé, dans l'énumération de ses « commandements », au même titre que le code Napoléon, suffisait à rendre les hommes égaux. Ils sont d'ailleurs égaux, nous dit-on, devant la loi, et le monde contemporain (comme celui du passé) nous en montre tous les jours des exemples à l'égard des lois étatiques ou de celles susurrées par l'Assemblée des Nations dites Unies, suivant le niveau d'organisation que l'on observe. Non, avant tout, les hommes sont égaux en droits. Nous avons précédemment tenté de découvrir quels étaient ces droits pour aboutir à cette notion que le seul droit pourrait être de vivre et d'être bien dans sa peau. Ce projet simple paraît bien difficile à réaliser puisque depuis des millénaires des millions d'hommes sont morts pour tenter de le réaliser.

Pour vivre en effet, il faut que l'Etat vous en donne l'autorisation et, s'il vous ordonne d'aller mourir pour le défendre, vous serez égaux aux autres individus de cet Etat dans le devoir de le faire, mais vous n'aurez certainement pas le droit d'avoir une opinion contraire. Les droits de l'homme, de l'individu s'inscrivent d'abord dans ceux de l'Etat.

En fait, la notion d'égalité telle qu'elle est généralement comprise exprime surtout la possibilité pour tout individu de jouir d'un bien-être économique égal à celui du voisin. Il s'agit d'une uniformisation des moyens d'assouvir les besoins individuels, fondamentaux et acquis. Les inégalités sont de plus en plus considérées comme des inégalités économiques entraînant derrière elles les inégalités cultu-

relles et de pouvoir. Dans ce domaine, les pays dits
socialistes, bien que certaines propagandes prétendument
objectives assurent le contraire, ont fait un progrès indiscutable. Mais dès le début de leur établissement, sont
apparues, dans ces Etats, des inégalités de pouvoir qui,
comme nous avons déjà eu l'occasion de le dire, ne sont
plus fondées essentiellement sur le profit, mais sur la
recherche de la dominance, dans le cadre d'un conformisme à une idéologie, laquelle est interprétée d'ailleurs de
façon différente suivant les lieux et les époques. Les
hiérarchies nous ont paru chez eux posséder une rigidité
qui compense l'uniformisation des biens. Les inégalités de
pouvoir sont peut-être plus camouflées, moins étalées au
grand jour que les inégalités économiques qui dans les pays
occidentaux s'étalent à toutes les vitrines, à tous les coins
de rue et sous chaque publicité au néon. Mais surtout il faut
insister sur le fait que, si le pouvoir aliène, il sécurise aussi,
alors que la richesse, l'opulence et leurs pouvoirs créent
l'envie, le besoin d'obtention de l'objet gratifiant chez ceux
qui ne le possèdent pas. L'agressivité en découle.

Tout cela n'est encore qu'analyse langagière et superfi-
cielle. Par contre si l'égalité consiste dans le fait pour
chaque homme de réaliser ce qu'on appelle, non sans
humour, « le plein épanouissement de sa personnalité »,
nous voilà bien embarrassé. Le schéma, même enfantin,
que nous avons essayé de tracer au début de cet ouvrage,
concernant la façon dont s'établit cette personnalité, nous
laisse rêveur quant à la possibilité d'en contrôler les
innombrables facteurs à tous les niveaux d'organisation.
Mais soyons sans crainte, dans nos sociétés productives,
épanouir pleinement sa personnalité signifie simplement
que l'on est suffisamment motivé et favorisé par son milieu
pour s'élever avec acharnement sur les barreaux des
échelles hiérarchiques de dominance. Les mass media, le
film en particulier, nous montrent toujours, pour que nous
les admirions, des gens qui « à la force du poignet » sont

partis de rien pour arriver au sommet des hiérarchies grâce à leur seul mérite. Et les pays où cela est possible sont vraiment des pays où l'égalité n'est pas un vain mot ! A chacun sa chance !

Or, il paraît *curieusement absurde,* dans un système de compétitivité, quel qu'il soit, un système où la recherche de la propriété des biens, des concepts, des pouvoirs, des technicités est la seule motivation du plus grand nombre, de *parler d'une égalité des chances à créer ces inégalités.* C'est, en d'autres termes, définir, pour un ensemble humain, un but à atteindre qui donnerait à chaque individu les moyens de ne pas réaliser ce qui serait désirable pour l'ensemble. Il est vrai que l'on parle plutôt aujourd'hui de faire disparaître les inégalités « trop criantes ». Des inégalités économiques, culturelles, de pouvoir, existent. C'est là un fait qu'on ne peut nier. Certains, parmi les nantis, font appel à la génétique, qui a bon dos, pour déguiser leur intérêt narcissique et affirmer que les dons innés, fournis au départ sans qu'on puisse rien y faire, vous donneront le QI d'un dominant ou d'un dominé. Nous entrons avec eux dans le monde de la justice génétiquement programmée. On sait où cela conduit : aux peuples des seigneurs ou des élus, c'est tout comme.

Mais il faut tout de même réaliser que si, inversement, quelqu'un désire, le plus souvent parce qu'il n'en est pas bénéficiaire, faire disparaître ces inégalités, il ne peut y parvenir dans un système d'agressivité compétitive. La compétition dans le cadre de la recherche d'une dominance économique, culturelle, ou des connaissances, ou des pouvoirs, est évidemment à l'origine des inégalités. « Que le meilleur gagne ! » S'il y a un meilleur, c'est aussi parce qu'il y a un moins bon. La notion d'égalité consiste bien alors à fournir à tout individu la possibilité de devenir inégal aux autres, depuis la maternelle jusqu'à la pseudo-direction des Etats. « Direction, mon cul », aurait dit Zazie, par la plume du bon Queneau. L'égalité ou l'inégalité n'existent donc pas en tant que telles. Phénomènes certainement mesurables, ils n'existent pourtant qu'en fonction des valeurs assurant la structure d'une société donnée.

Il resterait encore à parler du dernier mot de la triade : « Fraternité ». Il est certes inutile de nous y attarder longtemps. Il suffit de rappeler qu'il fut accolé à retardement aux deux autres pour remplacer celui utilisé d'abord par la révolution bourgeoise, de « Propriété ». Si l'on suivait René Girard on serait d'ailleurs tenté de tuer préférentiellement son frère parce que moins différent que son voisin de palier. Pour les sociobiologistes wilsoniens, ce serait le contraire, car les gènes égoïstes auraient plus de chances de se conserver parce que présents en plus grand nombre chez le frère que chez le voisin. Quoi qu'il en soit, quel sens peut avoir la fraternité dans un système de compétition ? Elle n'existe en général que devant l'ennemi commun s'attaquant aux intérêts communs. En ce sens, c'est la fraternité entre les éléments d'un groupe qui conduit à l'assassinat des éléments du groupe adverse, celui qui n'a pas d'intérêts communs avec le premier, ou dont les intérêts sont antagonistes.

Et pourtant l'homme étant le seul animal à se concevoir en tant qu'espèce, ne serait-ce pas ce mot, qui n'a plus aucun sens et n'en a d'ailleurs jamais eu, qui devrait dicter ses conduites ?

A la place de ces trois mots pour lesquels, depuis près de deux cents ans, des millions d'hommes sont morts, j'ai proposé, il y a bien des années déjà[1], d'afficher aux frontispices de nos monuments publics : « Conscience, connaissance, imagination. » Mais ce n'est encore qu'une division arbitraire de la personnalité humaine, car *il n'y a pas de conscience, ni d'imagination sans connaissance.*

---

1. H. LABORIT : *l'Agressivité détournée*, Union générale d'éditions, 1970.

L'enseignement : enseignant, enseigné, institutions et société globale

Mais la connaissance est transmise de génération en génération par l'enseignement, la communication éducative. On communique une information, une mise en forme, qui n'est toujours qu'un sous-ensemble d'une structure. Comment aborder la pédagogie dans l'ignorance de ces sciences toutes jeunes et encore fragiles, incomplètes, qui pénètrent le monde qui vit en nous, alors que jusqu'ici nous nous étions contentés d'explorer le monde qui nous entoure et de découvrir des lois du monde inanimé ? Celles-ci ont débouché sur une technologie dont les médias de communication ont largement profité. Or, le médium fondamental n'est-ce pas l'homme lui-même qui abstrait ses modèles et ses sous-structures de l'ensemble des relations, c'est-à-dire de la Structure ? Et le récepteur de toute information n'est-ce pas un autre homme ? Ces hommes, l'informateur et l'informé, vont-ils réagir l'un sur l'autre dans les deux sens ? Sont-ils isolés des ensembles sociaux ? Ne vont-ils pas se conformer aux besoins de ceux-ci et pourquoi ? L'enseignement peut-il être autre chose que le moyen de maintenir et de reproduire une structure d'un niveau englobant l'individu, d'un niveau d'organisation supérieur, une structure sociale, dont l'individu n'est plus qu'un élément ? Et dans ce cas, connaissez-vous à travers le monde une structure sociale qui ne soit pas une structure hiérarchique de dominance ? Et saurez-vous pourquoi, si vous ignorez comment fonctionnent et ont fonctionné à travers l'histoire les systèmes nerveux humains dans leurs environnements sociaux ? Ces connaissances ne sont-elles pas indispensables pour comprendre comment est fait, à partir d'un œuf fécondé, un homme contemporain ? Si vous ignorez les bases expérimentales à tous les niveaux d'organisation, de la molécule à l'individu entier, qui supportent et déterminent ses comportements, comment comprendre pourquoi l'histoire humaine en est arrivée à nous faire considérer l'enseignement, sans nous en rendre compte, comme le moyen d'inclure tout individu dans un système de production, de contrôle, ou d'administration de la marchandise, si nous ignorons comment s'établissent dans un cerveau humain la notion de propriété et la recherche de la dominance qui n'ont rien d'instinctif mais résultent d'un apprentissage ?

Le maître n'a-t-il pas ses propres motivations à enseigner ? Quelles sont-elles ? Gagner sa vie, s'élever dans une hiérarchie, répondre à une image idéale de lui-même que les autres ont forgée en lui, paternaliser l'enseigné, etc. ? Est-il lui-même conscient de la finalité de ces motivations à être ce qu'il est ? Quels sont ses apprentissages techniques et culturels de famille, de classe ? Ne vont-ils pas influencer profondément le choix des messages, leur interprétation, leur transmission ? Un chapitre des connaissances peut-il être transmis à travers lui, sans être déformé par ses jugements de valeur, ses préjugés socioculturels, ses désirs inassouvis, ses envies frustrées, etc. ? L'éducation de l'éducateur n'est-elle pas à faire plus encore dans la connaissance de lui-même que dans celle de la discipline qu'il enseigne ? Le même raisonnement est à faire pour chaque enseigné. Quelles sont ses motivations à apprendre ? Quelle est la part du milieu social, et surtout familial auquel il appartient, dans ses motivations, dans les structures acquises par son cerveau depuis sa naissance ? Ne va-t-il pas entendre du message que ce qu'il peut entendre et le reconstruire pour lui-même en le déformant ? N'est-il pas utile, avant de le contraindre à utiliser cet instrument qu'est son cerveau, de lui apprendre comment celui-ci fonctionne et de le rendre conscient de la façon dont son milieu l'a déjà programmé ? Enfin, compte tenu de la variabilité de ces éléments, dans ces deux ensembles, que sont l'informateur et l'informé, dont la structure d'accueil, le cerveau humain, est fondamentalement la même cependant, comment vont s'établir les intersections à la faveur du message transmis ?

Dans cette ignorance, la technologie avancée, celle des media, iconiques, langagiers, ou combinés, peut-elle faire autre chose que de perfectionner la robotisation du petit de l'homme, puisque sous la couverture consciente des discours logiques, nous ne communiquons que l'accumulation historique des processus inconscients qui ont procédé aux choix de nos modèles abstraits ? Il ne s'agit pas de laisser parcourir seul à l'enfant, l'adolescent ou l'adulte l'expérience humaine depuis les origines. Mais les connaissances de biologie comportementale déjà acquises peuvent être utilisées pour perpétuer l'universelle compétition interindividuelle, inter-groupes, internationale, inter-blocs de nations. Le développement technologique, propriété privée de certaines ethnies établies dans les zones tempérées du globe depuis le début du néolithique et la fin de la dernière glaciation, a permis l'établissement de dominances de ces ethnies sur le reste de la planète. La biologie comportementale peut en fournir une interprétation historique sans doute. Mais elle peut aussi favoriser ces motivations dominatrices, les utiliser pour perpétuer les dominances ou en faire naître de nouvelles. Elle peut en quelque sorte favoriser l'apprentissage de tous les conformismes sociopolitiques qui se camouflent eux-mêmes bien souvent sous une défroque de prétendue scientificité à la mode. Mais qu'est-ce que la Science ou soi-disant telle ?

Le temps n'est-il pas venu au contraire de l'utiliser à faire naître une conscience planétaire des finalités de l'espèce et des moyens de la réaliser ? Cette finalité ne peut être que sa survie. Le développement technologique ne doit être que le serviteur de cette finalité et non le moyen d'établir des dominances de groupes par l'intermédiaire de la production de biens marchands et d'armes de plus en plus meurtrières.

Une biopédagogie débouche ainsi sur ce que nous avons appelé l' « information généralisée [1] », celle des systèmes, et non sur la transmission, à travers les générations, de l'accumulation du capital technologique dans ses diverses spécialisations, dans des sous-ensembles manipulant la matière, l'énergie ou les concepts qui y sont liés dans l'ignorance des mécanismes qui gouvernent leur emploi. Je ne vois pas, en dehors de cette biopédagogie, qui est à la fois une pédagogie de la biologie et une biologie de la pédagogie, comment une « nouvelle société », dont on parle beaucoup mais qui ne dépasse pas le stade du vœu pieux, pourrait naître. C'est elle qui pourra, suivant l'expression connue, apprendre à mieux comprendre, mais aussi apprendre aux générations à venir à apprendre autre chose que ce que nous avons appris et surtout à l'utiliser autrement.

Il faut dire que le projet n'est pas simple car chaque individu est enfermé dans une « *institution* », par exemple, la famille pour l'enseigné, l'Education nationale pour l'enseignant. Or, ces institutions sont elles-mêmes inscrites dans une *société globale*. Celle-ci, dans notre monde occidental, a institutionnalisé les mécanismes d'obtention des dominances sur le degré d'abstraction atteint par un individu dans son apprentissage professionnel, qu'elle sanctionne par des parchemins. Une civilisation productiviste, entièrement construite sur la vente des marchandises, car c'est elle qui établit les critères de dominance, favorisera dans les institutions qui en dépendent la compétition implacable qui conditionne ce qu'elle appelle le « progrès ». Elle exigera que chaque individu se soumette à cette structure abstraite de l'Etat productiviste. Les parents, voulant le bonheur de leurs enfants, exigeront de l'institution qu'elle leur fournisse les moyens d'établir leur

---

1. H. LABORIT (1974) : *la Nouvelle Grille*, R. Laffont éd. (1968) ; *Biologie et Structure*, coll. Idées, Gallimard éd.

dominance dans ce système qui ainsi se reproduira indéfiniment.

En effet, institution, Etat, société globale sont des « structures », c'est-à-dire des choses impalpables, une « mise en forme » des systèmes vivants, qui n'existent pas en tant que « chose » mais en tant que relations. Mais ces relations s'établissent entre d'autres structures, les structures biologiques des individus dont nous avons dit deux mots en commençant. Comment changer celles-là sans changer celles-ci, mais comment changer celles-ci sans changer celles-là ? C'est ce qui fait sans doute l'inertie et la lourdeur de l'évolution des sociétés humaines. L'inhibition de l'action se retrouve à tous les niveaux d'organisation. Les seules fuites en sont la délinquance, la toxicomanie, le suicide ou la démence et, au niveau des groupes ou des Etats, le terrorisme et la guerre. Quand on pense que depuis des millénaires, mais surtout depuis l'avènement de la société industrielle, l'enseignement a récompensé, favorisé l'activité du cerveau gauche, celui de l'analyse séquentielle, du langage et des mathématiques dans leur aspect le moins créateur, tout en châtrant celle du cerveau droit, celui des synthèses globalisantes, de l'occupation de l'espace, capable de créer quelque chose de neuf, une structure nouvelle à partir de la poussière des faits analysés par le précédent et que cette attitude fut toujours motivée par la recherche de la dominance, cela peut nous laisser sceptiques sur l'évolution prochaine de ce que l'on appelle l'enseignement. Einstein fut refusé, paraît-il, au Polytechnicum de Zurich comme mauvais mathématicien.

Finalement, toute approche non systémique du problème de l'enseignement me paraît dérisoire et inefficace. Mais inversement, toute approche systémique se heurte à la finalité du plus grand ensemble, la *société globale* sur laquelle, en tant qu'individu, nous ne pouvons rien. A moins qu'une prise de conscience (comme on dit), une acquisition de connaissances (je préfère) n'arrive à nous sortir de la soupe des logorrhées, des analyses logiques, des jugements de valeur et des préjugés dans laquelle nous barbotons, à bout de souffle. Mais le discours que je viens de tenir n'est sans doute qu'un ingrédient supplémentaire à lui ajouter et je pense qu'il n'en changera pas beaucoup la valeur nutritive, ni la sapidité.

Alors ? Dans ce monde humain si complexe, on se demande comment les masses peuvent encore écouter, sans sourire, les homélies politiques dont on abreuve nos oreilles chaque jour. Comment elles peuvent voir à la télévision, sans être soulevées par un rire cosmique, ces représentants des fractions populaires gesticuler et grimacer comme des clowns sans en avoir l'humour, avec des vocalises, des modulations harmoniques de leur discours, attendant de façon rythmique les applaudissements forcenés d'une foule éblouie. Peut-être après tout, ces foules ont-elles un sens aigu du comique, en regardant l'air satisfait de l'orateur qui quitte la tribune, persuadé qu'il a prononcé des phrases et des concepts essentiels qui vont changer le destin du monde, impressionné lui-même par la puissance de son pouvoir charismatique. Les jeux du cirque étaient plus cruels, pour ceux qui pénétraient dans l'arène, moins drôles aussi. Mais les jeux de l'arène politique, ceux de ce qu'il est convenu d'appeler aujourd'hui la « guerre économique », aboutissent à des tueries autrement plus redoutables que celles des gladiateurs et des triomphes romains. Le rôle des biologistes des comportements n'est pas d'apporter des solutions qui ne peuvent être découvertes que par l'ensemble des hommes de la planète. Mais il est peut-être de mettre à nu les mécanismes de cette comédie humaine, qui n'ont point encore été abordés autrement que sous la forme du discours. Ce faisant, ils ne feront sans doute qu'ajouter un autre discours aux discours précédents, ce qui ne changera pas grand-chose à la destinée vers laquelle l'espèce humaine se dirige en pleine inconscience, tout en se croyant maîtresse de son destin. Enfin, à supposer même que l'homme parvienne un jour à faire disparaître l'agressivité intraspécifique, absurdité qui le caractérise, un problème restera, que nous avons considéré au cours de cet essai comme n'en posant pas, un problème qui devrait révolter pourtant notre notion humaine de la justice. Pourquoi, dans l'enchaînement si complexe des systèmes écologiques de la biosphère, toute vie est-elle dépendante d'une autre vie qu'elle détruit ? Pourquoi toute vie se nourrit-elle d'une autre vie qu'elle mortifie ? Pourquoi la souffrance et la mort des individus d'une espèce sont-elles indispensables à la vie de ceux d'une autre ? Pourquoi cette planète n'a-t-elle toujours été qu'un immense charnier, où la vie et la mort sont si étroitement entremêlées qu'en dehors de notre propre mort, toutes les autres nous paraissent appartenir à un processus normal ? Pourquoi acceptons-nous de voir le loup manger l'agneau, le gros poisson manger le petit, l'oiseau manger le grain et, par le chasseur, la colombe assassinée ? Mais aussi pourquoi vivre et pourquoi mourir ? Univers de mon cœur, tu m'exaspères !

TABLE

Achevé d'imprimer en décembre 1983
sur presse CAMERON,
dans les ateliers de la S.E.P.C.
à Saint-Amand-Montrond (Cher)
pour le compte des éditions Grasset
61, rue des Saints-Pères, 75006 Paris

N° d'Édition : 6305. N° d'Impression : 2127.
Première édition : dépôt légal : septembre 1983.
Nouvelle édition : dépôt légal : décembre 1983.
Imprimé en France

ISBN 2-246-31891-2